Henning Mankell, né en 1948, est romancier et dramaturge. Il partage sa vie entre la Suède, le Mozambique et la France. Il a commencé sa carrière comme auteur dramatique, d'où une grande maîtrise du dialogue. Il a également écrit nombre de livres pour enfants, couronnés par plusieurs prix littéraires, qui soulèvent des problèmes souvent graves et qui sont marqués par une grande tendresse. Mais c'est en se lançant dans une série de romans policiers centrés autour de l'inspecteur Wallander qu'il a définitivement conquis la critique et le public suédois. Cette série, pour laquelle l'Académie suédoise lui a décerné le Grand Prix de littérature policière, décrit la vie d'une petite ville de Scanie et les interrogations inquiètes de ses policiers face à une société qui leur échappe. Il s'est imposé comme le premier auteur de romans policiers suédois. En France, il a reçu le prix Mystère de la Critique, le prix Calibre 38 et le Trophée 813.

Henning Mankell

UNE MAIN ENCOMBRANTE

ROMAN

*Traduit du suédois
par Anna Gibson*

Éditions du Seuil

TEXTE INTÉGRAL

TITRE ORIGINAL
Handen
ÉDITEUR ORIGINAL
Leopard Förlag, Stockholm
© original : Henning Mankell, 2004/2013

Cette traduction est publiée en accord avec Leopard Förlag, Stockholm,
et l'agence littéraire Leonhardt & Høier, Copenhague

ISBN 978-2-7578-5504-1
(ISBN 978-2-02-114013-2, 1ʳᵉ publication)

© Éditions du Seuil, 2014, pour la traduction française

Avant-propos

Une première version de ce récit a vu le jour il y a un certain nombre d'années. Plus tard, la BBC, qui se l'était procurée, a décidé de s'en inspirer pour le scénario d'un épisode de sa série «Wallander», avec Kenneth Branagh dans le rôle du commissaire. Après avoir vu le film, j'ai relu la nouvelle : elle recelait assez de vie en elle pour mériter une nouvelle édition enrichie. C'est ainsi qu'une seconde version a été publiée récemment.

Chronologiquement, ce récit se situe juste avant *L'Homme inquiet*, titre qui clôt la série.

Il n'y aura pas d'autre enquête avec Kurt Wallander.

Henning Mankell
Göteborg, octobre 2012

1

Ce samedi 26 octobre 2002 au soir, Kurt Wallander était au bout du rouleau. La semaine avait été éprouvante au commissariat d'Ystad en raison d'une épidémie de grippe. Lui, d'habitude premier contaminé, avait été mystérieusement épargné cette fois-ci. Mais il avait dû traiter une affaire de viol à Svarte et plusieurs agressions à Ystad et travailler en boucle sans compter ses heures sup.

Il avait la tête bien trop lourde pour être encore efficace. D'un autre côté, aucune envie de rentrer chez lui. Le vent soufflait fort, dehors. Il était tard. De temps à autre, il entendait quelqu'un passer dans le couloir. Il espérait que personne ne frapperait à sa porte. Il voulait être tranquille. Avoir la paix.

La paix de qui, de quoi ? La question restait ouverte. Je voudrais me mettre en congé de moi-même, pensa-t-il. De cette pesanteur que je traîne, et qui me mine. Je n'en peux plus.

Les feuilles mortes tourbillonnaient dans l'obscurité, de l'autre côté de sa fenêtre. Certaines se collaient un instant à la vitre. Il devrait peut-être prendre son reliquat de jours de congé et essayer de dégoter un séjour tout compris pas trop cher quelque part. À Majorque par exemple. Mais il avait à peine la force de s'imaginer là-bas. Le soleil pouvait briller tant qu'il voulait sur une île espagnole, ce n'était pas cela qui lui apporterait la paix dont il avait besoin.

Son regard tomba sur son agenda de bureau. Octobre 2002. Plus de trente ans qu'il était dans la police. L'époque où il patrouillait dans les rues paraissait vraiment lointaine. Entre-temps, il était devenu un enquêteur expérimenté, respecté, avec plusieurs grosses affaires à son actif. Même s'il n'était pas satisfait de sa vie, il pouvait au moins se dire qu'il avait fait son boulot, qu'il avait peut-être contribué à ce que les gens d'Ystad et des environs se sentent un peu plus en sécurité.

Dehors une voiture accéléra dans un crissement de pneus. Un jeune homme au volant, pensa Wallander. Il sait qu'on est là, il le fait exprès pour nous énerver. Mais moi, ça ne me fait plus rien.

Il sortit dans le couloir. Personne. Un rire résonna dans un bureau quelque part. Il alla se chercher une tasse de thé et revint s'asseoir à sa table. Le thé avait un goût bizarre. En regardant le sachet, il vit qu'il avait attrapé par erreur un truc au jasmin. Beurk. Il jeta le sachet dans la corbeille et versa le contenu de sa tasse dans un pot de fleurs offert par sa fille Linda.

Tout avait changé, au cours de ces années où il avait été policier. Au début, du temps où il était encore de patrouille, il existait une grande différence entre ce qui pouvait se passer dans une ville telle que Malmö et une petite bourgade comme Ystad. Cette différence avait disparu. En particulier pour toute la criminalité liée à la drogue ; à l'époque où lui-même avait débarqué à Ystad, les toxicomanes prenaient le ferry jusqu'à Copenhague pour se procurer ce qu'il leur fallait. Aujourd'hui, ils trouvaient tout sur place.

Wallander évoquait souvent avec ses collègues le fait que leur métier était devenu tellement plus difficile ces dernières années. Mais à présent, dans son bureau, pendant que les feuilles mortes tourbillonnaient au-dehors, il se demanda soudain si c'était vrai. N'était-ce pas plutôt une excuse ? Pour ne pas avoir à apprendre, évoluer, intégrer les transformations ? Celles qui avaient bouleversé la société et, en conséquence, l'activité criminelle…

Personne ne m'a jamais accusé d'être feignant, pensa-t-il. Mais peut-être est-ce bien ce que je suis.

Il se leva, attrapa sa veste jetée sur le fauteuil des visiteurs, éteignit la lumière et sortit, laissant ses réflexions dans le bureau.

Il monta dans sa voiture et rentra chez lui. La ville était déserte. La pluie faisait briller l'asphalte. Il avait la tête complètement vide.

Le lendemain, il était de congé. Dans son demi-sommeil, il perçut vaguement que le téléphone sonnait dans la cuisine. Sa fille Linda, qui avait pris ses fonctions au commissariat d'Ystad un an plus tôt, après avoir achevé ses études à l'école de police de Stockholm, habitait toujours chez lui. Elle aurait dû déménager depuis un moment déjà, mais les choses traînaient en longueur et elle n'avait toujours pas pu signer le bail de son nouvel appartement. Lorsqu'elle décrocha il pensa qu'il n'avait pas de souci à se faire. Martinsson avait repris son travail la veille et s'était engagé à ne pas le déranger pendant sa journée de congé.

Il n'attendait de coup de fil de personne – surtout pas un dimanche matin de bonne heure. Linda, elle, passait chaque jour de longs moments à parler sur son portable. Ça lui avait donné matière à réflexion car il avait une relation compliquée avec le téléphone. Il sursautait chaque fois qu'il entendait une sonnerie, à la différence de Linda, qui paraissait gérer des pans entiers de sa vie par téléphone interposé. Il soupçonnait que c'était là le signe d'une vérité très simple : ils appartenaient à des générations différentes.

La porte de sa chambre s'ouvrit. Il tressaillit, prêt à bondir.

– On ne t'a pas appris à frapper ?

– Ce n'est que moi.

– Qu'est-ce que tu dirais si j'ouvrais ta porte comme ça sans prévenir ?

– Je ferme ma porte à clé. Bon, quelqu'un veut te parler.

– Personne ne m'appelle jamais.

– Là, si.

– Qui c'est ?

– Martinsson.

Wallander se redressa sur son lit. Linda eut un air désapprobateur en voyant le ventre nu de son père.

Mais elle ne dit rien. C'était dimanche. Ils avaient conclu un pacte : tant qu'elle habitait chez lui, les dimanches étaient déclarés zone franche. Aucun des deux n'avait le droit de critiquer l'autre. Les dimanches étaient officiellement dédiés à la courtoisie.

– Qu'est-ce qu'il veut ?

– Il ne me l'a pas dit.

– Je suis de congé.

– Je ne sais pas ce qu'il veut.

– Tu ne peux pas lui dire que je suis sorti ?

– Je rêve !

Elle retourna dans sa chambre. Wallander se traîna jusqu'à la cuisine et attrapa le combiné. Par la fenêtre il vit qu'il pleuvait. Mais on devinait des bouts de ciel bleu entre les nuages.

– Je croyais être de repos aujourd'hui.

– Mais oui, fit la voix de son collègue.

– Qu'est-ce qui se passe ?

– Rien.

Il faillit se mettre en colère. L'appeler sans raison, ça ne ressemblait pas à Martinsson.

– Pourquoi tu me déranges, alors ? Je dormais.

– Pourquoi tu t'énerves ?

– Parce que je suis énervé.

– J'ai peut-être une maison pour toi. Si ça t'intéresse toujours.

Wallander pensait depuis des années à quitter son appartement de Mariagatan, situé dans le centre-ville d'Ystad. Il avait envie de vivre à la campagne, il voulait s'acheter un chien. Après la mort de son père, quelques années auparavant, et après que

13

Linda avait commencé à mener sa propre vie, il avait éprouvé un besoin croissant de changer d'air et d'existence, lui aussi. Plusieurs fois il était allé visiter des maisons par l'intermédiaire de différentes agences. Mais il n'avait jamais trouvé ce qu'il cherchait. Les rares fois où il avait senti que ça pourrait éventuellement lui convenir, le prix était inabordable. Son salaire et ses économies n'y suffiraient pas. Être policier ne permettait pas de se constituer une réserve d'argent digne de ce nom.

– Tu es toujours là?

– Oui. Raconte.

– Là tout de suite, je ne peux pas. Il y a eu un cambriolage au Åhléns[1] cette nuit. Mais si tu passes au commissariat, je t'en dirai un peu plus. J'ai même un trousseau de clés.

Martinsson raccrocha. Linda entra dans la cuisine et se servit un café. Elle leva la tête, l'interrogea du regard. Elle versa une deuxième tasse. Ils s'attablèrent.

– Il faut que tu ailles bosser?

– Non.

– Qu'est-ce qu'il te voulait alors?

– Me montrer une maison.

– Martinsson vit dans un lotissement. Je croyais que tu voulais habiter à la campagne.

– Tu n'écoutes pas ce que je te dis. Il veut me montrer *une* maison. Pas *sa* maison.

– Quelle maison?

– Je ne sais pas. Tu veux venir?

1. Chaîne de grands magasins. *(Toutes les notes sont de la traductrice.)*

– Non, j'ai d'autres projets.

Il ne l'interrogea pas sur la nature de ces projets. Il savait qu'elle était comme lui sur ce point. Elle n'expliquait que le strict nécessaire. Une question non formulée n'exigeait pas de réponse.

2

Wallander partit pour le commissariat peu après midi. Arrivé en bas de chez lui, il faillit prendre sa voiture. La mauvaise conscience le rattrapa aussitôt. Il ne faisait pas assez de sport. En plus, Linda l'observait sûrement de la fenêtre. S'il choisissait la voiture, il en entendrait parler longtemps.

Il se mit en marche.

On est comme un vieux couple, pensa-t-il. Ou comme un vieux policier avec une femme beaucoup trop jeune pour lui. Dans le temps, j'étais marié avec sa mère. Maintenant on croirait qu'elle l'a remplacée. Drôle de ménage. En tout bien tout honneur, mais à quel prix. On s'exaspère l'un l'autre, et le temps n'arrange rien.

Le hall d'accueil du commissariat était désert. Il trouva Martinsson dans son bureau, au téléphone ; d'après ce qu'il crut comprendre, il s'agissait d'une histoire de tracteur disparu. Pour patienter, il se mit à feuilleter un nouveau mémo de la direction qui traînait sur la table. Il concernait l'usage d'aérosols au poivre. On avait fait un test dans le sud de la

16

Suède. Bilan positif : l'arme s'était révélée efficace pour calmer les individus violents.

Wallander se sentit soudain vieux. Il était mauvais tireur, et avait toujours redouté de se retrouver dans une situation où il serait obligé de faire usage de son arme. C'était déjà arrivé. Bien des années plus tôt, il avait même tué un homme. Légitime défense. Mais l'idée d'agrandir son arsenal pour y inclure des petites bombes au poivre ne l'attirait guère.

Je deviens trop vieux y compris à mes propres yeux, pensa-t-il. Trop vieux pour moi, et trop vieux pour mon métier.

Martinsson raccrocha bruyamment et jaillit de son fauteuil. Wallander crut voir un instant le jeune homme qui avait fait ses débuts au commissariat d'Ystad quinze ans plus tôt. À l'époque déjà, Martinsson se demandait s'il avait un avenir dans la police. Il avait failli démissionner plusieurs fois. En définitive, il était resté. Il n'était plus très jeune. Mais contrairement à Wallander, il n'avait pas pris de poids. Au contraire, il avait plutôt maigri. Le plus grand changement, c'était la disparition de sa tignasse brune. Martinsson, avec les années, était devenu chauve.

Il lui tendit un trousseau. La plupart des clés étaient d'un modèle ancien.

– C'est un cousin de ma femme, expliqua Martinsson. Il est vieux. Jusqu'à présent, il avait toujours refusé de vendre, mais là, il est dans une résidence pour personnes âgées et il est probable qu'il n'en sortira pas vivant. On avait signé un papier il y a longtemps, où il me demandait de m'en occuper le temps venu, de procéder à la vente. J'ai pensé à toi.

Martinsson indiqua d'un geste le fauteuil des visiteurs, branlant et usé jusqu'à la corde. Wallander s'assit.

– J'ai pensé à toi pour plusieurs raisons. Je sais que tu veux aller vivre à la campagne. Mais là, en plus, il y a l'avantage de l'emplacement.

Wallander attendit la suite. Martinsson avait toujours eu la mauvaise habitude de tirer les conversations en longueur et de compliquer ce qui était simple.

– La maison est située près de Löderup. Vretsvägen, si tu vois où c'est.

Wallander voyait parfaitement.

– Laquelle est-ce ?

– Le vendeur s'appelle Karl Eriksson.

Wallander réfléchit.

– Ce n'était pas lui qui avait une forge dans le temps, à côté de la station-service ?

– Mais oui, c'est bien lui.

Wallander prit le trousseau.

– Je suis passé d'innombrables fois devant cette maison. Peut-être est-elle trop proche de celle où vivait mon père ? Je ne sais pas…

– Va la voir.

– Combien en veut-il ?

– Il m'a laissé en décider. Mais comme l'argent revient à ma femme, je suis obligé de suivre les prix du marché.

Wallander se leva. Sur le seuil, il se retourna, hésitant.

– Peut-être peux-tu me donner au moins un ordre d'idée ? Ce n'est pas la peine que j'aille la voir si je ne peux même pas envisager de l'acheter.

– Va la voir, dit Martinsson. Si tu la veux, tu en auras les moyens.

3

Wallander retourna à Mariagatan pour prendre sa voiture. Il se sentait à la fois exalté et partagé. À peine eut-il mis le contact que la pluie commença à tomber à torrents. Il quitta la ville en direction de l'est en pensant que la dernière fois qu'il avait pris cette route pour rendre visite à son père remontait déjà à plusieurs années.

Combien ? Il mit un moment à se rappeler la date de la mort de son père. C'était loin. Beaucoup de temps s'était écoulé depuis leur dernier voyage ensemble. Leur voyage à Rome.

Il repensa à la façon dont il l'avait suivi cette nuit-là. Le vieux avait quitté l'hôtel en cachette pour partir en balade tout seul dans la ville. Wallander se sentait encore honteux à la pensée qu'il l'avait espionné afin de découvrir où il pouvait bien se rendre de la sorte. Son âge et la confusion mentale qui s'emparait de lui à l'occasion n'étaient pas une excuse suffisante. Pourquoi n'avait-il pas laissé son père faire sa petite promenade, tranquille, parmi ses souvenirs ? Pourquoi l'avait-il suivi ? Il ne pouvait pas juste invoquer l'inquiétude, la peur qu'il lui arrive un pépin. Ce n'était pas si simple.

En vérité, il ne se faisait pas vraiment de souci pour son père. Il se rappelait très bien ce qui l'avait motivé cette nuit-là : il était tout bonnement curieux.

Le temps rétrécissait ; telle était son impression à présent. Ç'aurait pu être hier – l'époque où il faisait régulièrement ce trajet en voiture pour rendre visite à son père, jouer aux cartes avec lui, boire un coup de gnôle et entamer une dispute sur un sujet sans importance.

Il me manque, pensa Wallander. Le seul père que j'aurai jamais… Il était assez terrible, en fait. Il pouvait me rendre dingue d'exaspération. Mais il me manque, rien à faire.

Wallander s'engagea sur la petite route familière. Soudain il aperçut le toit de la maison paternelle. Mais il dépassa le chemin qui y conduisait.

Deux cents mètres plus loin, il s'arrêta et descendit de voiture.

La maison de Karl Eriksson se dressait au milieu d'un jardin à l'abandon. Une ferme scanienne typique, qui avait dû être à l'origine en forme de U. À présent une aile avait disparu, peut-être dans un incendie, ou démolie volontairement. Le bâtiment et son jardin se trouvaient un peu à l'écart, comme déversés au bord du champ voisin. Le bruit d'un tracteur lui parvenait de loin. La terre retournée attendait sa couverture d'hiver.

Le portail grinça sur ses gonds. Le sable de l'allée n'avait pas été ratissé depuis longtemps. Des corneilles s'égosillaient dans un grand marronnier qui se dressait juste devant la maison. Peut-être un ancien arbre tutélaire. Il ne bougea plus et prêta l'oreille. Avant de pouvoir ne serait-ce qu'envisager de vivre dans une maison, il devait aimer les sons qui l'entouraient. Si le bruit du vent ne lui convenait pas, ou la qualité du silence, il pouvait tout aussi bien tourner les talons immédiatement. Mais ce qu'il entendit lui inspira une sensation de calme. C'était l'automne, immobile. L'automne scanien en attente de l'hiver.

Il contourna la maison. À l'arrière, il découvrit des pommiers, des groseilliers et des cassis, des fauteuils et une table en pierre, le tout en mauvais état. Alors qu'il marchait dans les feuilles mortes, son pied heurta quelque chose, peut-être les débris d'un râteau. Il revint devant la maison. Il devina quelle était la bonne clé, l'introduisit dans la serrure et fit tourner le pêne.

À l'intérieur régnait une odeur de moisi, de renfermé. Une odeur de vieil homme, persistante, amère. Il fit le tour des pièces. Les meubles étaient anciens. Aux murs, des proverbes brodés. Un antique téléviseur trônait dans ce qui avait dû être la chambre à coucher du vieux. Wallander alla dans la cuisine. Il y avait un réfrigérateur, éteint, porte ouverte. Dans la poubelle, il identifia les restes d'une souris. Il monta l'escalier. L'étage se réduisait à un grenier non aménagé. Cette maison avait à l'évidence grand besoin d'être rénovée. Et les travaux ne seraient pas bon marché, même s'il pouvait peut-être les réaliser lui-même en grande partie.

Il redescendit, s'assit avec précaution sur un canapé élimé et composa le numéro du commissariat d'Ystad. Après quelques minutes, il entendit la voix de Martinsson :

– Où es-tu ?

– Dans le temps, on demandait aux gens comment ils allaient.

– C'est pour me dire ça que tu m'appelles ?

– Je suis dans la maison.

– Ah. Alors ?

– Je ne sais pas. Je la trouve… étrangère.

– Bah, c'est normal, c'est la première fois que tu y mets les pieds.

– J'aimerais savoir quel prix vous en demandez. Je ne peux pas commencer à réfléchir avant de le savoir. Tu sais comme moi, j'imagine, qu'il y a de gros travaux de rénovation à prévoir.

– Je sais. Je la connais.

Wallander attendit. Il entendait Martinsson respirer dans l'écouteur.

– Ce n'est pas évident de conclure des affaires avec ses amis, dit Martinsson enfin. Je m'en aperçois seulement maintenant.

– Considère-moi comme un ennemi alors, répondit Wallander avec insouciance. Un ennemi pauvre, si possible.

Martinsson rit.

– On avait pensé à un prix… Cinq cent mille couronnes. Non négociable.

Wallander avait déjà décidé qu'il pourrait monter jusqu'à cinq cent cinquante mille au maximum.

– C'est trop cher.

– Tu rigoles ? Une maison dans l'Österlen[1] ?

– Mais c'est une ruine !

– Si tu ajoutes deux cent mille de travaux, elle vaudra largement plus d'un million.

– Je peux te proposer quatre cent soixante-quinze mille.

– Non.

– Alors tant pis.

Wallander raccrocha. Puis il resta assis, le téléphone à la main, et attendit en comptant les secondes. Au bout de vingt-quatre, Martinsson le rappela.

– Disons quatre cent quatre-vingt-dix.

– Entendu. Ou plutôt : je la prends à l'essai pendant vingt-quatre heures. Il faut que j'en parle à Linda.

– Je te laisse jusqu'à ce soir.

– Pourquoi ? J'ai besoin de vingt-quatre heures.

– Accordé. Mais pas plus.

Ils raccrochèrent. Wallander eut comme un frisson de joie. Était-il enfin sur le point d'obtenir la maison dont il avait si longtemps rêvé ? Pas loin de chez de son père, en plus, où il avait passé tant de temps…

Il monta l'escalier en courant, réexamina le grenier, redescendit, fit le tour de toutes les pièces. En pensée, il abattait des murs, tirait des câbles électriques, choisissait des papiers peints, disposait des meubles. Il avait envie d'en parler tout de suite à Linda, mais réussit à se maîtriser.

1. L'Österlen (appellation informelle du sud-est de la Scanie), très prisé en raison de la beauté de ses paysages et de ses plages, compte beaucoup de résidences secondaires.

C'était trop tôt. Il n'était pas encore complètement convaincu. Il refit le tour des pièces du rez-de-chaussée en s'arrêtant dans chacune pour écouter avant de passer à la suivante. Aux murs, il y avait quelques photographies pâlies de personnes qui avaient vécu là autrefois, et dans la plus grande pièce, entre deux fenêtres, un tirage en couleurs de la ferme vue d'avion.

Il songea que les personnes qui avaient vécu là respiraient encore dans ces murs. Mais il n'y a pas de fantômes, se dit-il. Il n'y en a pas parce que je ne crois pas aux fantômes.

Dehors, la pluie avait cessé. Des nuages couraient dans le ciel. Il actionna une pompe installée au milieu de la cour. Elle grinça fortement. L'eau qui finit par sortir était marron, puis elle devint transparente. Il la goûta en essayant d'imaginer un chien qui buvait dans un bol à côté de lui.

Il refit encore une fois le tour de la maison avant de se décider à partir.

Il venait d'ouvrir la portière de sa voiture quand il s'immobilisa. Pourquoi ? Qu'est-ce donc qui le retenait ? Quelque chose le préoccupait. Quelque chose qu'il avait vu… Ou peut-être pas vu, mais senti…

Il se retourna vers la maison. Quelque chose s'était gravé en lui, mais quoi ?

Soudain il comprit. Il avait heurté un objet sous les feuilles mortes, dans le jardin. Un vieux râteau, avait-il pensé sur le moment, ou peut-être une racine d'arbre. C'était cela qui l'arrêtait à présent.

Quelque chose qu'il avait vu, sans pourtant le voir.

4

Wallander contourna une fois de plus la maison. Il ne savait plus très bien à quel endroit il avait trébuché. Ni pourquoi il lui importait tant de retrouver cet endroit et de comprendre ce qui l'avait perturbé.

Il finit par le trouver. Il resta un long moment à contempler l'objet qui pointait hors de terre. Puis il en fit lentement le tour. Revenu à son point de départ, il s'accroupit, en se faisant mal aux genoux.

Aucun doute quant à ce qu'il voyait, à demi enfoui dans le sol. Rien à voir avec les dents d'un râteau. Ni avec une racine d'arbre.

C'était le squelette d'une main. Malgré sa couleur brune inhabituelle, il n'y avait pas de place pour une autre interprétation. Les restes d'une main humaine pointaient hors de terre.

Il se redressa. L'inquiétude ressentie au moment où il avait voulu ouvrir la portière de sa voiture était justifiée.

Il regarda autour de lui. Rien n'attira son attention. Hormis cela. Cette main. Il se pencha, écarta les feuilles. Y avait-il tout un squelette caché là-dessous ? Impossible de le savoir pour l'instant.

Les nuages s'étaient dissipés. Le soleil d'octobre diffusait une chaleur hésitante ; les corneilles croassaient toujours dans le marronnier. La situation tout entière était irréelle. Il avait pris sa voiture un dimanche pour visiter une maison où il emménagerait peut-être. Et voilà qu'il tombait sur les restes d'un corps humain.

Wallander secoua la tête. Puis il appela le commissariat. Cette fois encore, Martinsson mit longtemps à décrocher.

– Je refuse de baisser le prix davantage, déclarat-il d'entrée de jeu. Ma femme trouve déjà que j'ai été trop faible.

– Il ne s'agit pas de ça.

– Quoi alors ?

– Viens.

– Qu'est-ce qui ne va pas ?

– Viens. C'est tout. Viens.

Martinsson comprit que c'était important et ne posa pas d'autres questions. Wallander refit un tour du jardin, le regard rivé au sol, en attendant la voiture de police. Dix-neuf minutes plus tard, elle freinait devant la maison. Martinsson avait fait vite. Il alla le rejoindre. Son collègue paraissait nerveux.

– Qu'est-ce qui t'arrive ?

– J'ai trébuché.

Martinsson le dévisagea.

– C'est pour ça que tu m'as fait venir ?

– Oui. Je veux que tu viennes voir.

Ils contournèrent la maison. Wallander indiqua l'endroit sans un mot. Martinsson eut un mouvement de recul.

– Merde alors ! Qu'est-ce que c'est ?

– On dirait une main. Je ne sais pas s'il y a un squelette dessous.

Martinsson semblait pétrifié.

– Je ne comprends rien.

– Une main, c'est une main. Qui appartient à quelqu'un. Qui est mort. On n'est pas dans un cimetière. Alors il y a un truc qui cloche.

Ils contemplèrent un moment la chose, debout côte à côte. Wallander se demanda ce que pouvait bien penser Martinsson. Et que pensait-il lui-même ?

L'idée d'acheter cette maison l'avait complètement quitté.

5

Deux heures plus tard, un périmètre de sécurité avait été dressé autour de la ferme et les techniciens de la police scientifique étaient au travail. Martinsson avait essayé de persuader Wallander de rentrer chez lui puisqu'il était de congé, mais celui-ci n'avait pas écouté ses conseils. Son dimanche était gâché de toute façon.

Que se serait-il passé s'il n'avait pas trébuché à cet endroit ? S'il avait acheté la maison et trouvé les ossements seulement après… Comment aurait-il réagi ? Et si un squelette entier était enterré dans ce jardin ? « Un policier achète la maison d'un collègue et fait une découverte macabre. » Il n'avait aucun mal à imaginer les gros titres.

Le médecin légiste arriva de Lund. C'était une femme. Elle s'appelait Stina Hurlén et, de l'avis de Wallander, elle était beaucoup trop jeune pour ce métier. Il garda son opinion pour lui, bien sûr. À sa décharge, il reconnaissait qu'elle était consciencieuse.

Il attendit avec Martinsson pendant que Hurlén se livrait à un premier examen du fragment de squelette. La voix irritée de Nyberg, le chef de la police technique, leur parvenait en fond sonore. Wallander pensa qu'il l'avait entendu un millier de fois aboyer exactement sur le même ton. Là, il était question d'une bâche manquante.

Cette bâche a toujours manqué, pensa-t-il. Au cours de toutes les années où j'ai travaillé à Ystad, il y a toujours eu une saleté de bâche qui manquait.

Stina Hurlén se redressa.

– Bon, c'est bien une main humaine, pas de doute. Celle d'un adulte, pas d'un enfant.

– Depuis combien de temps est-elle là?

– Aucune idée.

– Tu dois tout de même pouvoir nous en dire davantage?

– Je n'aime pas les devinettes. En plus, je ne suis pas spécialiste des ossements.

Wallander la considéra quelques instants en silence.

– Allons-y pour les devinettes, dit-il enfin. Je devine, et toi aussi. Ça pourra nous aider. Même s'il apparaît après coup qu'on a eu tort.

Stina Hurlén réfléchit.

– OK. Je peux me tromper du tout au tout. Mais je crois que cette main est là depuis longtemps.

– Qu'est-ce qui te le fait croire?

– Je ne crois rien. Je devine, c'est tout. Si tu veux, disons que je mets mon expérience en pilotage automatique.

Wallander la laissa et rejoignit Martinsson qui parlait dans son portable, un gobelet de café à la main. Il le lui tendit. Aucun des deux ne prenait de sucre ou de lait dans son café. Wallander avala une gorgée. Martinsson conclut sa conversation et l'interrogea du regard.

– Hurlén croit que la main est là depuis longtemps.

– C'est qui ?

– La légiste. Tu n'as jamais eu affaire à elle ?

– Ils n'arrêtent pas de changer, à Lund. Où sont passés tous les vieux légistes, tu peux me le dire ? Ils disparaissent, c'est tout. Dans un ciel à eux.

– Quoi qu'il en soit, elle pense que la main est là depuis longtemps. Tu connais peut-être un peu l'histoire de cette maison ?

– Pas vraiment. Karl Eriksson y a vécu une trentaine d'années, mais je ne sais pas qui était le précédent propriétaire. On va s'asseoir ?

Ils s'attablèrent dans la cuisine. Wallander avait l'impression de se trouver dans une maison complètement différente de celle où il était arrivé quelques heures plus tôt. Les deux ambiances n'avaient rien de commun.

– Il va falloir peut-être retourner tout le jardin, dit Martinsson. Mais avant ça, ils veulent apparemment tester une nouvelle machine. Un genre de détecteur pour restes humains, un peu comme un détecteur de métaux. Nyberg n'y croit pas un instant, mais la chef a insisté. Nyberg va bientôt pouvoir se réjouir de l'incompétence prouvée de cette machine à la noix. Après, il pourra refaire le travail à sa façon, avec une pelle.

– Et s'il ne trouve rien ?

Martinsson fronça les sourcils.

– Que veux-tu dire ?

– À ton avis ? S'il y a une main à cet endroit, il devrait en toute logique y avoir un corps entier. Comment sinon la main est-elle arrivée là ? En volant ? Une corneille s'en serait emparée quelque part et l'aurait relâchée ici ? Pousse-t-il des mains dans ce jardin ? À moins qu'il n'ait plu des mains sur Löderup cet automne ?

– Tu as raison.

Wallander contemplait pensivement le jardin par la fenêtre.

– Dieu sait ce qu'on va découvrir, dit-il. Peut-être un cimetière entier. Un vieux cimetière du temps de la peste, pourquoi pas ?

Ils ressortirent. Martinsson alla discuter avec Nyberg et deux autres techniciens. Wallander pensa à son chien imaginaire, qui lui parut en cet instant plus imaginaire que jamais.

Martinsson et Wallander finirent par rentrer au commissariat. Ils garèrent leur voiture sur le parking et se retrouvèrent dans le bureau de Martinsson. Le désordre était vraiment impressionnant. Autrefois, Martinsson était un policier méticuleux, à la limite de la maniaquerie. Maintenant il vivait dans un vrai chaos. Quiconque serait entré dans son bureau aurait pensé qu'il était impossible d'y retrouver le moindre document.

Martinsson débarrassa son fauteuil des dossiers qui l'encombraient. Il parut deviner sa réaction.

– Je sais, c'est n'importe quoi, dit-il d'un air sombre. J'essaie de ranger mais j'ai beau faire, la quantité de papier augmente sans arrêt.

– C'est pareil pour moi, dit Wallander. Quand j'ai enfin réussi à me servir d'un ordinateur, j'ai cru que toute cette paperasse diminuerait. Mais c'est le contraire.

Il se tut et regarda par la fenêtre.

– Rentre chez toi, dit Martinsson. Tu es de congé. J'ai mauvaise conscience de t'avoir proposé d'aller visiter cette maison.

– Elle me plaisait bien. Elle m'a plu, et j'étais presque sûr qu'elle plairait aussi à Linda. Je me voyais déjà en train de t'appeler et de te confirmer que je la prenais. Maintenant je ne sais plus.

Martinsson le raccompagna jusqu'au hall d'accueil.

– Qu'est-ce qu'on a ? résuma Wallander. Les restes d'une main humaine. Enfouis dans un jardin de Löderup…

La conclusion s'imposait d'elle-même. C'était sans doute un meurtre. Et ils allaient devoir s'en occuper. À moins que la main n'ait traîné là si longtemps qu'on ne puisse établir la cause du décès ni l'identité de la victime.

– Je t'appelle, dit Martinsson. Sauf imprévu, on se voit demain.

– Oui. On fera le point à huit heures. Tel que je connais Nyberg, il va passer la nuit à creuser.

Martinsson retourna à son bureau. Wallander monta dans sa voiture, puis changea d'avis. Il fit un détour par le centre-ville et acheta le journal dans un kiosque près de la gare.

Les nuages étaient de nouveau compacts et sombres. Il nota que la température avait baissé.

6

Wallander ouvrit la porte d'entrée et prêta l'oreille. Linda n'était pas là. Il se fit du thé et s'installa dans la cuisine. Sa découverte macabre le dépitait. Un bref instant au cours de sa visite, il avait été convaincu. C'était bien la maison qu'il cherchait. Celle-là et aucune autre. Et voilà qu'elle s'était transformée en scène de crime. Ou tout au moins en un lieu renfermant un obscur secret.

Je ne trouverai jamais de maison, pensa-t-il, découragé. Ni maison, ni chien, ni femme. Tout va rester comme avant.

Il finit son thé et s'allongea sur son lit. On était dimanche, jour où il aurait dû respecter la coutume, instaurée par Linda, de changer les draps. Mais il n'en avait pas la force.

À son réveil, il constata qu'il avait dormi trois heures. De l'autre côté de la fenêtre, la nuit était tombée depuis longtemps. Linda n'était toujours pas rentrée. Il alla à la cuisine, but un peu d'eau. Il reposait le verre sur le plan de travail quand le téléphone sonna.

– Wallander.

– C'est Nyberg. On attend.

– Vous attendez quoi ?

– Toi, bien sûr.

– Pourquoi m'attendez-vous ?

Souffle lourd de Nyberg dans l'écouteur. Wallander comprit qu'il était épuisé et exaspéré.

– Le standard ne t'a pas prévenu ?

– Non. Je n'ai eu aucun appel.

– Comment veulent-ils qu'on fasse notre travail quand on ne peut même pas leur faire confiance pour transmettre les infos ?

– Laisse tomber. Qu'est-ce qui se passe ?

– On a trouvé un corps.

– Un corps ou un squelette ?

– Mais qu'est-ce que tu crois ? Un squelette évidemment.

– J'arrive.

Wallander raccrocha, trouva un pull dans son placard et griffonna un mot qu'il laissa sur la table de la cuisine. *Parti travailler*. Il se hâta jusqu'au commissariat pour récupérer sa voiture. Une fois sur le parking, et après avoir fouillé ses poches, il se rappela avoir laissé les clés sur la table de la cuisine.

Un instant, il faillit fondre en larmes. Ou partir, simplement. Sans se retourner. Partir et ne jamais revenir.

Il se sentait complètement idiot. Un idiot qui lui inspira un bref sentiment de pitié. Puis il s'approcha d'une voiture de patrouille et demanda aux collègues de le conduire à Löderup. Son auto-apitoiement s'était mué en colère. Quelqu'un avait omis de l'avertir qu'il devait se rendre là-bas.

Il se laissa aller contre la banquette et écouta les appels radio. L'image de son père surgit soudain devant lui.

Il avait eu un père. Un jour, son père n'avait plus été là. Et voilà que la distance qui séparait son père vivant de l'urne qu'il avait déposée au fond d'un trou au cimetière était presque effacée. Comme si cela s'était produit la veille. Ou comme si tout n'avait été qu'un rêve.

De puissants projecteurs éclairaient le jardin. Chaque fois que Wallander arrivait sur une scène de crime où le travail se déroulait de nuit, il avait le sentiment de pénétrer sur un plateau de tournage.

Nyberg l'aperçut et vint à sa rencontre, de la boue jusqu'au menton. Les combinaisons de travail boueuses de Nyberg étaient célèbres au point d'avoir fait l'objet d'un sketch lors du spectacle de Nouvel An d'Ystad.

– Comment est-ce possible qu'on ne t'ait pas informé…

Wallander leva la main en un geste pacificateur.

– Peu importe. Qu'avez-vous trouvé ?

– Je te l'ai déjà dit.

– Le squelette ?

– C'est ça.

Nyberg soupira. Wallander le suivit jusqu'à un endroit voisin de celui où il avait trébuché. On avait creusé un trou d'un mètre de profondeur. Dans le trou, les restes d'un cadavre. Sur les ossements, intacts, il subsistait quelques lambeaux de tissu.

Wallander fit le tour de la fosse pendant que Nyberg toussait et se mouchait. Martinsson apparut, venant de la maison. Il bâilla en considérant Wallander qui tournait sans un mot.

– Où est Hurlén ? demanda-t-il quand il revint à son point de départ.

– Elle venait de rentrer chez elle, dit Nyberg. Dommage pour elle... Je l'ai appelée quand on a commencé à trouver d'autres os. Elle ne devrait pas tarder à arriver.

Wallander et Martinsson s'accroupirent.

– Homme ou femme ?

La question émanait de Martinsson. Wallander avait appris une chose, concernant les squelettes : la meilleure méthode pour identifier le sexe était d'observer le bassin. Mais que devait-on observer au juste ? Il n'en était plus très sûr.

– Un homme, dit-il. Sans doute parce que j'espère que c'est le cas.

Martinsson se tourna vers lui, perplexe.

– Pourquoi ?

– Je ne sais pas. Je n'aime pas l'idée d'avoir failli acheter une propriété où une femme était enterrée dans le jardin.

Ses genoux firent un bruit inquiétant quand il se redressa.

– Pourquoi cette main est-elle sortie de terre tout à coup ?

– Peut-être pour nous avertir qu'il y avait un truc louche à cet endroit.

Martinsson se tut, un brin honteux. Wallander ne réagit pas. Soudain ils virent Stina Hurlén approcher dans la lumière des projecteurs. Ses bottes en caoutchouc faisaient un bruit de succion en se détachant de la boue piétinée en tous sens par les techniciens. Elle les salua et, comme Wallander, fit le tour de la fosse avant de s'accroupir.

– Homme ou femme ? demanda-t-il.

– Femme, répondit Stina Hurlén. C'est une certitude. Mais ne me demandez pas son âge ni quoi que ce soit d'autre. Je suis trop fatiguée pour les devinettes.

– Juste une question, intervint Martinsson. Plus tôt, tu as dit que tu pensais que la main était là depuis longtemps. As-tu changé d'avis au vu de ce que tu viens d'observer ?

– Je n'ai pas d'avis. Je devine qu'elle est là depuis longtemps.

– Vois-tu quelque chose qui nous pourrait nous renseigner sur la cause du décès ? poursuivit Martinsson.

– Deux questions. Ça fait une de trop, je ne te répondrai pas.

– La main, dit Wallander. Pourquoi est-elle sortie de terre ?

– Ça n'a rien d'inhabituel, répondit Nyberg devant le silence de Stina Hurlén. Ce qui est enfoui bouge. Le niveau des eaux souterraines varie. La boue scanienne bouge, elle aussi, formant des affaissements. Personnellement, je crois que cette main est remontée à la suite des grosses pluies qu'on a eues cet automne. Mais ça peut aussi être l'œuvre des mulots, bien sûr.

Le portable de Nyberg sonna. Il interrompit ses supputations et s'éloigna.

– Qu'a-t-il voulu dire? demanda Martinsson. À propos des mulots?

– J'ai toujours pensé que Nyberg était un technicien hors pair. Mais il est incroyablement mauvais pour ce qui est d'expliquer sa pensée.

– Je rentre dormir, dit Martinsson. Tu devrais faire pareil. Ils n'ont plus besoin de nous ici.

Martinsson raccompagna Wallander jusqu'à Mariagatan. Il conduisait avec sa brusquerie habituelle. Wallander ne dit rien. Il avait arrêté de protester depuis bien longtemps. La façon de conduire de Martinsson ne changerait jamais.

7

Linda ne dormait pas. Quand Wallander ouvrit la porte de l'appartement, elle apparut en peignoir et haussa les sourcils à la vue de ses chaussures boueuses. Ils s'installèrent à la cuisine et il lui résuma la situation.

– C'est étrange, dit-elle quand il eut fini. Une maison qui t'a été recommandée par Martinsson et où tu découvres un cadavre enterré…

– Étrange peut-être, mais c'est comme ça.

– De qui s'agit-il ?

– Comment veux-tu que je le sache ?

– Pourquoi t'énerves-tu ?

– Je suis fatigué. Et peut-être aussi déçu. Elle me plaisait bien, cette maison. Et le prix était abordable. J'aurais pu l'acheter.

Elle tendit la main par-dessus la table et lui tapota le bras.

– Il y a d'autres maisons, dit-elle. Et en attendant, tu as quand même un toit au-dessus de la tête.

– J'ai été déçu, je crois, insista Wallander. Aujourd'hui, précisément, j'aurais eu besoin d'une bonne nouvelle. Pas d'un squelette enterré.

– Tu ne pourrais pas essayer d'être plus positif ? À la place d'un banal jardin, tu découvres une énigme dont personne n'a jamais entendu parler…

– Je ne vois pas où tu veux en venir.

Linda le dévisagea, amusée.

– Plus de risque de cambriolage, dit-elle. Les voleurs ont peur des revenants comme tout le monde.

Wallander mit de l'eau à chauffer. Linda secoua la tête quand il lui demanda si elle voulait un thé.

Il se rassit, une tasse rose à la main.

– C'est moi qui te l'ai donnée, dit Linda. Tu t'en souviens ?

– Cadeau de Noël quand tu avais huit ans. Depuis, je bois toujours mon thé dans cette tasse.

– Elle m'avait coûté une couronne dans un vide-greniers.

Wallander but un peu de thé. Linda bâilla.

– Je me réjouissais, dit-il. J'avais commencé à croire que j'allais vraiment réussir à quitter la ville un jour.

– Il y a d'autres maisons, répéta Linda.

– Ce n'est pas tout à fait aussi simple.

– Pourquoi ? Qu'y a-t-il de compliqué là-dedans ?

– Je crois que je suis trop exigeant.

– Sois-le moins alors !

Wallander crut qu'il allait se fâcher. Linda l'avait toujours accusé de se compliquer la vie. Elle s'y était mise à l'adolescence, et elle n'avait jamais cessé depuis. Ce qui l'exaspérait le plus, c'était que dans ces cas-là, elle se transformait en une copie conforme de sa mère. Elle prenait la même voix que Mona, c'était horripilant. S'il fermait les yeux, il pouvait être saisi d'un doute et ne plus savoir qui était là, face à lui, de l'autre côté de la table.

– Laisse tomber, dit-il en se levant pour aller rincer sa tasse dans l'évier.

– Je vais me coucher.

Wallander resta éveillé à regarder la télé, le volume baissé au minimum. Il avait trouvé un documentaire sur les pingouins.

Quand il se réveilla en sursaut, il était quatre heures du matin. La télé ne diffusait plus que de la neige. Il l'éteignit et se dépêcha de se mettre au lit avant d'être complètement réveillé.

8

Il était huit heures passées de deux minutes, le lundi 28 octobre, quand Wallander referma la porte de l'une des salles de réunion du commissariat. Il avait mal dormi après son début de nuit dans le canapé. En plus, son rasoir électrique était tombé en panne, et il ne se sentait pas net avec sa barbe de deux jours. Autour de la table, il voyait les visages familiers. Pour deux d'entre eux cela faisait plus de vingt ans qu'ils travaillaient ensemble. Ces gens-là, pensa-t-il fugacement, formaient une part essentielle de sa vie. Il était maintenant le plus vieux parmi les enquêteurs de la brigade criminelle d'Ystad. À ses débuts, il avait été le plus jeune.

Ceux qui participaient à la réunion, outre lui-même, étaient Nyberg, Martinsson et la chef de police Lisa Holgersson. C'était la première fois qu'il travaillait sous les ordres d'une femme. Quand elle était arrivée à Ystad, dans les années 1990, il avait été aussi sceptique que ses collègues, presque tous des hommes à l'époque. Mais il s'était vite rendu à l'évidence. Lisa Holgersson était très compétente. Peut-être était-elle un des meilleurs chefs qu'il ait connus. Elle ne lui avait pas fourni d'occasion de changer d'avis, même si de violentes controverses avaient pu éclater parfois au fil des ans.

Il inspira profondément et se tourna vers Nyberg.

– Qu'est-ce que ça donne, sur le terrain ?

Nyberg était épuisé. Il avait les yeux injectés de sang. Il était censé partir à la retraite, mais avait brusquement changé d'avis. Wallander n'avait pas été surpris. Sans son travail, et malgré les désagréments qu'il impliquait, la vie aurait paru dénuée de sens à Nyberg.

– Un squelette, quelques lambeaux de vêtements. Rien ne paraissait avoir été écrasé ou brisé. Pas d'autres indices. Reste à savoir si nous devons retourner tout le jardin.

– Comment ça s'est passé avec la nouvelle machine ? intervint Lisa Holgersson.

– Comme je l'avais prédit. Une vraie daube qu'un taré a réussi à fourguer à la police suédoise. Pourquoi est-il si difficile de faire venir un chien ?

Wallander dut se retenir de rire. Nyberg était irascible, mais il avait un humour très personnel. Et Wallander partageait certains de ses points de vue.

Il donna la parole à Martinsson, qui s'était entretenu le matin même avec Stina Hurlén.

– Elle a besoin de temps, dit Martinsson en feuilletant son carnet. Il faut analyser les ossements, etc. Elle croit pouvoir nous fournir un rapport préliminaire dans la journée.

Wallander acquiesça.

– Voilà où on en est. Ce n'est pas grand-chose. Ça pose naturellement l'hypothèse d'un meurtre mais, pour ça, il faut attendre le rapport de Stina Hurlén. Dans l'intervalle, on pourrait creuser un peu l'histoire de cette maison et de ses habitants. Y a-t-il eu une disparition signalée ? Dans la mesure où la maison appartient à un membre de ta famille, ce serait peut-être bien que tu t'en occupes, dit-il à Martinsson.

Celui-ci acquiesça. Wallander abattit ses mains sur la table pour signifier la fin de la réunion. Lisa Holgersson le retint après le départ des autres.

– Les médias veulent te parler, dit-elle.

– On a trouvé un squelette. On ne pourra rien leur raconter d'autre.

– Tu sais bien que les journalistes adorent les disparitions. Tu ne peux vraiment pas ajouter une phrase ou deux ?

– Non. Nous sommes obligés d'attendre. Alors les journalistes attendront aussi.

Wallander consacra le reste de la journée à une autre affaire. Un Polonais avait tué un habitant d'Ystad au cours d'une bagarre d'ivrognes particulièrement violente. La plupart des témoins avaient participé à la fête, mais les souvenirs des uns et des autres divergeaient beaucoup, certains ne se rappelaient plus rien et le principal suspect changeait sans arrêt de version. Wallander avait conduit des interrogatoires désespérants avec toutes les parties prenantes, des heures durant. Il avait contacté le procureur, car il n'était même pas sûr que ça vaille la peine de continuer. Mais le procureur, qui était jeune, novice et consciencieux, avait insisté. Un homme, même saoul, qui en trucide un autre, aussi saoul que lui, devait être puni. Wallander n'avait évidemment rien à opposer à cet argument, mais son expérience lui disait qu'en dépit de leurs efforts ils ne sauraient jamais ce qui s'était vraiment produit cette nuit-là.

De temps à autre, Martinsson passait une tête dans son bureau pour lui annoncer qu'il n'avait toujours pas de nouvelles de Stina Hurlén. Peu après quatorze heures, Linda apparut à son tour et lui proposa d'aller déjeuner. Il secoua la tête et lui demanda de lui rapporter un sandwich. En réalité, pensa-t-il après son départ, il ne s'était toujours pas habitué au fait que sa propre fille soit maintenant adulte, qu'elle travaille dans la police, et dans le même commissariat que lui par-dessus le marché.

Linda lui apporta le sandwich dans un sachet. Wallander repoussa le volumineux dossier de la fiesta qui avait mal tourné. Il avala le sandwich, puis ferma la porte et se carra dans son siège pour un mini-somme. Comme d'habitude, il tenait son trousseau de clés à la main. S'il le laissait tomber, cela signifiait qu'il s'était endormi pour de bon et qu'il était temps de se remettre au travail.

Le trousseau tomba. Martinsson ouvrit la porte au même moment.

À sa tête, Wallander comprit que Stina Hurlén s'était enfin manifestée.

9

Le rapport préliminaire était arrivé de Lund. Martinsson le déposa sur son bureau.

– Je crois qu'il vaut mieux que tu le lises toi-même.

– C'est ce qu'on croyait, n'est-ce pas ? Notre découverte se transforme en enquête ?

– On dirait bien que oui.

Martinsson partit chercher du café pendant que Wallander lisait. Stina Hurlén s'exprimait dans un style simple et clair. Wallander s'était souvent demandé par quel mystère certains policiers, légistes, procureurs, avocats, etc., écrivaient des textes illisibles. Pourquoi ils vomissaient littéralement des cascades de mots au lieu de composer des phrases courtes et compréhensibles.

Il lui fallut dix minutes à peine pour parcourir le rapport. Chaque fois qu'il tenait entre les mains un document important, il s'obligeait à le parcourir avec lenteur, pour permettre à toutes ses réflexions de suivre le rythme de la lecture.

Stina Hurlén constatait que le squelette était celui d'une femme. Elle estimait son âge à une

cinquantaine d'années. Ce point précis allait néces-
siter des analyses complémentaires ; en revanche on
pouvait établir d'emblée la cause probable du décès.
La femme était morte par pendaison. Une lésion à la
nuque l'indiquait de façon précise. Certes, elle avait
pu être provoquée post mortem, mais l'hypothèse
paraissait peu vraisemblable. Il était impossible de
dater le décès avec certitude pour l'instant. Mais
certains indices laissaient à penser que le corps était
enterré depuis de nombreuses années.

Wallander posa le rapport et accepta la tasse de
café que lui tendait Martinsson.

– Que savons-nous ? demanda-t-il. Fais-moi un
résumé.

– Très peu de choses. Une femme est enterrée
dans un jardin à Löderup. À sa mort, elle était âgée
d'une cinquantaine d'années. Nous ne savons pas à
quel moment cette mort est intervenue. Si je comprends bien ce qu'écrit Hurlén, elle est peut-être là
depuis un siècle. Ou plus.

– Ou moins, dit Wallander. Que dit le propriétaire ? Ton cousin ?

– Le cousin de ma femme. Karl Eriksson.

– Le mieux que nous ayons à faire, c'est encore
d'aller le voir.

– Je ne pense pas que ce soit une bonne idée.

– Pourquoi ?

– Il est malade. Il est vieux.

– Ce n'est pas parce qu'on est vieux qu'on est
nécessairement malade.

Martinsson s'approcha de la fenêtre.

– Je dis juste que Karl Eriksson a quatre-vingt-douze ans. Jusqu'à ces derniers mois il avait encore toute sa tête. Puis ça a basculé. Un jour il est sorti tout nu dans la rue, et quand les gens ont essayé de l'aider il ne savait plus qui il était ni où il habitait. Jusque-là, il s'était toujours débrouillé seul. La sénilité approche en catimini la plupart du temps, mais dans son cas c'est arrivé d'un coup.

Wallander était perplexe.

– Mais s'il est devenu sénile du jour au lendemain, comment a-t-il pu te demander de t'occuper de vendre la maison ?

– Je te l'ai déjà dit. On a signé un papier à ce propos il y a des années. Il pressentait peut-être qu'il allait disparaître dans le brouillard un beau jour et voulait s'assurer avant que tout soit en ordre.

– Il n'a pas de moments de lucidité ?

– Non. Il ne reconnaît personne. Le seul être dont il parle, c'est sa mère qui est décédée il y a cinquante ans. Il dit aussi qu'il doit aller chercher du lait. Voilà ce qu'il répète en boucle quand il est réveillé. Il est dans une résidence spéciale. Réservée à ceux qui ont cessé de séjourner dans la réalité.

– Quelqu'un doit quand même pouvoir répondre à nos questions ?

– Eh bien non. Sa femme est décédée dans les années 1970 et ils n'avaient pas d'enfants. Si, en fait, ils en avaient deux, deux filles, mais elles se sont noyées dans un terrible accident de fosse septique il y a bien longtemps. Il n'y a personne d'autre. Ils vivaient très isolés, les seuls avec qui ils étaient en contact de temps en temps, c'étaient moi et ma famille.

Wallander sentait croître son impatience. Et il avait faim. Le sandwich rapporté par Linda n'était plus qu'un souvenir.

– Bon alors, on commence par la maison, dit-il en se levant. Titre de propriété, etc. Tout le monde a une histoire, et les maisons aussi. Viens, on va en parler avec Lisa.

Ils allèrent dans le bureau de Lisa Holgersson. Wallander laissa Martinsson résumer le rapport de Stina Hurlén et la sénilité de Karl Eriksson. C'était devenu une habitude quand ils collaboraient, ils rendaient compte à tour de rôle de l'avancée de l'enquête pour que l'autre puisse écouter pendant ce temps, et prendre du recul.

– On ne peut pas consacrer de ressources importantes à cette affaire, dit Lisa Holgersson quand Martinsson eut fini. Si meurtre il y a, on peut raisonnablement supposer qu'il est prescrit.

Wallander pensa que c'était précisément le commentaire auquel il s'attendait. On consacrait une part de plus en plus réduite des ressources de la police à ce qui aurait dû pourtant être la priorité, à savoir le travail de terrain. Parmi ses collègues, beaucoup étaient désormais enchaînés à leur bureau, ou travaillaient selon des injonctions déconcertantes ou absurdes qui variaient sans arrêt. Un meurtre ancien, à supposer que ce soit bien ce qu'ils avaient découvert à Löderup, n'obtiendrait presque rien en termes de ressources.

Le fait d'avoir anticipé la réponse ne l'empêcha pas de se fâcher :

– Nous te tenons informée. Nous te disons ce que nous savons. Nous pensons qu'il faudrait peut-être une enquête préliminaire. On ne demande pas grand-chose. Du moins tant qu'on n'aura pas reçu le rapport définitif de la légiste. Et celui de Nyberg. C'est tout de même le minimum qu'on puisse faire, découvrir l'identité de cette personne. Si nous voulons continuer à nous considérer comme des policiers.

Lisa Holgersson le fixa du regard.

– C'est censé vouloir dire quoi, cette dernière remarque ?

– Ce sont nos actes qui prouvent que nous sommes des policiers. Pas les statistiques auxquelles on nous oblige à consacrer tout notre temps de veille.

– Quelles statistiques ?

– Tu sais aussi bien que moi que notre taux d'élucidation est beaucoup trop faible. Parce qu'on nous fait perdre notre temps en paperasserie.

Wallander se sentait au bord de l'explosion. Mais il réussit à se maîtriser suffisamment pour que Lisa Holgersson ne s'en aperçoive pas.

Martinsson, lui, n'était pas dupe.

Wallander se leva avec brusquerie.

– On va retourner à la maison, dit-il avec une amabilité forcée. Qui sait ce que nous pourrions y trouver encore ?

Il s'éloigna à grands pas. Martinsson trottinait derrière lui dans le couloir.

– J'ai bien cru que tu allais exploser, dit-il. Un accès de rage vraiment désagréable, un lundi d'octobre, à l'approche de l'hiver.

– Tu parles trop, coupa Wallander. Va chercher ta veste, on repart à la campagne.

10

Quand ils arrivèrent à Löderup, presque tous les projecteurs étaient éteints. Une bâche recouvrait le trou où avait été découvert le squelette. Un véhicule de police stationnait à côté des bandes rouge et blanc. Nyberg et les autres techniciens étaient partis. Wallander tendit le trousseau à Martinsson.

– Je ne suis plus en visite, dit-il. Ce sont tes clés, c'est toi qui ouvres.

– Pourquoi faut-il que tout soit si compliqué avec toi ?

Sans attendre de réponse, Martinsson entra le premier et fit de la lumière.

– Titre de propriété, dit Wallander. Papiers qui racontent l'histoire de cette maison. Occupons-nous de ça. Après on pourra attendre le rapport des techniciens et celui des médecins.

– J'ai demandé à Stefan de fouiller un peu dans les vieilles affaires classées de personnes disparues, dit Martinsson. Linda devait l'aider, si j'ai bien compris.

Stefan Lindman était arrivé au commissariat d'Ystad à peu près en même temps que Linda. Wallander s'était vite aperçu qu'ils entretenaient une

53

forme de liaison, tous les deux. Mais quand il avait essayé de lui en parler, elle s'était esquivée. Wallander aimait bien Stefan. C'était un bon policier. Mais il avait du mal à accepter l'idée que sa fille ne le considère plus comme l'homme le plus important de sa vie.

Ils commencèrent chacun à un bout, Martinsson dans la chambre à coucher, Wallander dans ce qui semblait être un compromis de salon et de bureau.

Une fois seul il s'immobilisa, laissant son regard faire lentement le tour de la pièce. Une femme avait-elle vécu entre ces murs avant d'être assassinée et enterrée dans le jardin? Pourquoi sa disparition n'avait-elle pas été signalée, dans ce cas? Que s'était-il joué au juste dans cette maison, vingt ans, ou cinquante ans, ou peut-être même un siècle plus tôt?

Il se mit à l'œuvre méthodiquement. D'abord il chercha avec le regard. Les gens laissaient beaucoup de traces. Ils étaient souvent comme des hamsters. Ils accumulaient, accumulaient… Du papier en particulier. Il contempla le bureau placé sous une fenêtre. Il allait commencer par là. Un meuble en bois sombre, sûrement ancien. Il s'assit dans le fauteuil et essaya d'ouvrir le premier tiroir. Fermé. Il chercha une éventuelle clé. Laissa ses doigts courir sous le plateau. Rien. Souleva la lourde lampe de bronze. Ah – une clé, attachée à un mince ruban de soie.

Il ouvrit le caisson. Celui-ci se composait de cinq tiroirs. Le premier était rempli de vieux stylos, d'encriers vides, de lunettes et de poussière. Wallander songea que rien ne le décourageait autant que la vision de vieilles lunettes qui n'étaient plus utiles à quiconque. Il ouvrit le tiroir suivant. Une pile de copies de déclarations fiscales. La plus ancienne datait de 1952. Cette année-là, Karl Eriksson et son épouse avaient déclaré deux mille neuf cents couronnes de revenus. Il essaya de calculer si c'était plausible ou s'il s'agissait d'une somme vraiment très basse. Il conclut en faveur de la seconde hypothèse. Le troisième tiroir contenait des agendas. Wallander en feuilleta quelques-uns. Aucune annotation personnelle, pas même un anniversaire ici ou là, rien que des achats de graines, ou le montant payé pour la réparation d'une moissonneuse ou une nouvelle roue de tracteur. Il rangea les carnets. Chaque fois qu'il faisait ainsi intrusion dans la vie des autres, il se demandait comment un cambrioleur pouvait supporter de passer ses jours à fouiller dans les affaires, les vêtements, les biens d'autrui.

Ce fut en ouvrant le quatrième et avant-dernier tiroir qu'il trouva enfin ce qu'il cherchait. Un dossier à la couverture ornée de deux mots tracés à l'encre : *Documents immobiliers*. Il le sortit délicatement du tiroir, approcha la lampe de bureau et l'ouvrit. Il tomba aussitôt sur un acte de vente daté du 18 novembre 1968. Karl Eriksson et sa femme, Emma, rachètent la maison et le terrain à la succession de l'exploitant agricole Gustav Valfrid Henander. Les héritiers concernés par la succession de Henander sont sa veuve, Laura, et leurs trois enfants, Tore, Lars et Kristina. Le prix de vente est de cinquante-cinq mille couronnes. Karl Eriksson reprend à son compte une hypothèque de quinze mille couronnes. L'affaire est conclue dans les locaux de l'agence de la Caisse d'épargne d'Ystad.

Wallander chercha dans la poche de sa veste un carnet et un crayon. Dans le temps, il oubliait toujours d'emporter de quoi écrire et se trouvait contraint de prendre ses notes au dos de tickets de caisse et bouts de papier divers. Mais Linda avait pris l'initiative d'acheter un tas de petits carnets et de les glisser dans les poches de ses vestes et manteaux. Il nota deux séries de chiffres. D'abord la date du jour, le 28 octobre 2002. Puis, juste en dessous, celle du 18 novembre 1968. C'était la première couche temporelle qui se dégageait dans cette enquête. Trente-quatre ans. Une génération entière. Il nota tous les noms inscrits sur l'acte de vente, mit celui-ci de côté et passa à la suite avec concentration. La plupart des papiers du dossier manquaient d'intérêt, mais il ne voulait pas prendre le risque de négliger quoi que ce soit. Explorer des documents pouvait être aussi risqué que se déplacer dans une forêt sombre. On pouvait trébucher, tomber, se perdre. Il entendit le portable de Martinsson sonner quelque part dans la maison. Sa femme, probablement. Martinsson et elle s'appelaient un nombre incalculable de fois dans la journée. Que pouvaient-ils donc avoir à se dire ainsi en permanence ? Lui-même n'avait pas le souvenir d'avoir jamais appelé Mona pendant ses heures de travail, ou qu'elle l'ait fait de son côté… Pas une fois, de toutes les années qu'avait duré leur mariage. Le travail, c'était le travail ; parler, c'était une chose qu'on faisait soit avant, soit après. Il se demanda si ça avait contribué au naufrage de leur couple. Le fait qu'il l'appelait beaucoup trop rarement. Et elle aussi.

Il continua de feuilleter le dossier. Soudain il s'interrompit. Il avait entre les mains un ancien acte de propriété, ou plutôt sa copie certifiée conforme. Il datait de 1949 et avait été rédigé au bénéfice de Gustav Valfrid Henander. Celui-ci avait acheté la ferme dite «Legshult 2:19» à un certain Ludvig Hansson, veuf, qui était désigné en tant qu'unique propriétaire de l'exploitation. Le prix de vente était de vingt-neuf mille couronnes, et cette fois l'affaire avait été conclue dans les locaux de la Caisse d'épargne de Skurup.

Wallander prit note. Une nouvelle couche temporelle se dégageait. En comptant à partir de 2002, il était à présent remonté cinquante-trois ans en arrière. Il sourit intérieurement. Quand Ludvig Hansson avait vendu sa ferme à Gustav Valfrid Henander, lui-même n'avait qu'un an et habitait à Limhamn. Il n'avait aucun souvenir de cette époque.

Il continua de chercher. Martinsson avait fini sa conversation téléphonique. Wallander l'entendait siffloter dans la maison. Il crut reconnaître un air de Barbra Streisand. Un air connu, il lui sembla que ça s'appelait *Woman in Love*. Martinsson sifflait bien. Wallander finit de parcourir le dossier. Il ne trouva aucun autre document capable de le conduire plus loin dans le temps. Ludvig Hansson quitte la ferme en 1949. Que s'est-il passé auparavant ? Mystère.

Il ouvrit les autres tiroirs du bureau sans découvrir quoi que ce soit d'intéressant. Même chose avec le chiffonnier et l'armoire d'angle.

Martinsson entra et se laissa choir sur une chaise en bâillant. Wallander lui fit part de ses découvertes et lui désigna le dossier. Martinsson secoua la tête.

– Pas la peine que je regarde. Ludvig Hansson, c'est un nom qui ne me dit rien.

– On interrogera le cadastre demain. N'empêche qu'avec ça, on a déjà un cadre qui couvre un demi-siècle. Et de ton côté ? Un résultat ?

– Non. Quelques albums photos. Mais aucune femme qui pourrait correspondre à la nôtre.

Wallander renoua la sangle du dossier contenant les documents relatifs à la ferme.

– Il faut qu'on parle aux voisins, dit-il. Au moins les plus proches. Sais-tu si Karl Eriksson en connaissait certains plus particulièrement ?

– Peut-être la ferme rouge, à gauche après l'embranchement, tu vois ? Là où il y a une vieille table pour les bidons de lait.

Wallander voyait précisément de quelle ferme et de quelle table parlait Martinsson. Il croyait même se souvenir que ces gens-là avaient un jour acheté un tableau à son père. Avec coq de bruyère ? Sans coq de bruyère ? Sa mémoire ne s'étendait pas jusque-là.

– Il y a une petite vieille dans cette maison, poursuivait Martinsson. Elle s'appelle Elin. Son nom de famille est Trulsson. Elle lui rend visite de temps en temps à la résidence. Elle n'est peut-être pas aussi sénile que lui.

Wallander se leva.

– Demain. Demain, on ira lui parler.

11

Linda surprit Wallander : elle avait préparé le dîner. Quand il arriva à Mariagatan, il n'eut qu'à mettre les pieds sous la table. Il fut tenté d'ouvrir une bouteille, bien qu'on fût en semaine. Mais Linda lui ferait une scène à coup sûr. Il laissa tomber. À la place, il lui raconta la nouvelle visite à la ferme en compagnie de Martinsson.

– Vous avez trouvé quelque chose d'intéressant ?

– Je connais maintenant le nom des propriétaires successifs au cours des cinquante dernières années. Si c'est intéressant, il est encore trop tôt pour le savoir.

– J'ai parlé à Stefan. Il n'a pas trouvé de femme portée disparue qui pourrait correspondre.

– Le contraire m'aurait étonné.

Ils finirent le repas en silence. La conversation reprit au moment du café.

– Songe que tu aurais pu acheter cette maison, dit Linda. L'acheter et y vivre jusqu'à ta mort sans te douter que c'était un cimetière et que tu te promenais pieds nus dans l'herbe au-dessus d'une tombe.

– La main serait remontée à la surface tôt ou tard, je pense. Mais si on croit aux fantômes, on peut évidemment supposer qu'elle est sortie de terre pour attirer l'attention du policier de passage...

La sonnerie du portable de Linda interrompit ces réflexions. Elle sortit, écouta et revint.

– C'était Stefan. Je vais chez lui.

Wallander se sentit aussitôt envahi par la jalousie ; il fit une grimace involontaire. Elle s'en aperçut.

– Qu'est-ce qu'il y a ?

– Rien.

– Je vois bien que si. Tu grimaces.

– J'ai un truc coincé entre les dents.

– Je rêve ! Tu n'arriveras donc jamais à te mettre dans le crâne que tu ne peux pas me mentir ?

– Je suis juste un vieux père jaloux. Pas la peine d'en faire toute une histoire.

– Trouve-toi une femme. Tu sais ce que j'en pense. Si tu ne baises pas bientôt, tu vas mourir.

– Tu sais que je n'aime pas que tu utilises ce genre de vocabulaire.

– Je crois que tu as besoin qu'on te secoue de temps en temps. Salut.

Linda rassembla ses affaires et disparut. Wallander hésita quelques secondes. Puis il se leva, ouvrit la bouteille de vin, sortit un verre et alla dans le séjour. Il voulait mettre un disque. Le dernier quatuor à cordes de Beethoven. Quand il l'eut trouvé, il s'installa dans son fauteuil et laissa ses pensées vagabonder tout en écoutant la musique. Le vin le rendait somnolent. Il ferma les yeux et glissa dans un demi-sommeil.

Soudain il se ressaisit. Parfaitement réveillé tout à coup. Le disque s'était arrêté. Une pensée l'avait frappé, au creux de la somnolence. La main sur laquelle il avait trébuché. Et l'explication que lui avait donnée Nyberg. Le niveau des eaux souterraines pouvait varier, la terre argileuse s'affaisser et repousser des couches inférieures vers la surface. Mais pourquoi la main seule ? Tout à l'heure, à table, se pouvait-il qu'il ait eu une intuition plus claire qu'il ne l'avait lui-même compris sur le moment, en parlant de cette main sortie de terre pour attirer son attention ?

Il but encore un verre de vin et téléphona ensuite à Nyberg. C'était toujours un risque de l'appeler chez lui. Quand on le dérangeait, il pouvait se mettre dans une fureur extrême. Les sonneries résonnaient l'une après l'autre. Wallander attendit.

– Nyberg.

– C'est Kurt. J'espère que je ne te dérange pas.

– Bien sûr que si ! Qu'est-ce que tu veux ?

– La main sur laquelle j'ai trébuché. Tu as dit que la terre bougeait, glissait, que le niveau des eaux souterraines variait en permanence. N'empêche que je ne comprends pas pourquoi cette main a traversé les couches supérieures du sol à ce moment précis.

– Qui te dit que ça s'est passé « à ce moment précis » ? Pas moi. La main est peut-être restée dans cette position pendant des années.

– Mais quelqu'un aurait dû la voir, dans ce cas…

– Ça, c'est ton travail, pas le mien. C'est tout ce que tu avais à me dire ?

– Pas vraiment. Peut-on imaginer que cette main ait été placée là exprès ? Afin qu'elle soit découverte ? As-tu vu si la terre avait été retournée récemment ?

Nyberg avait le souffle court à l'autre bout de la ligne. Wallander craignait l'explosion imminente.

– Cette main-là s'est déplacée de sa propre initiative, dit Nyberg enfin.

Il ne s'était pas emporté.

– C'était juste ça, dit Wallander. Merci d'avoir pris le temps de me répondre.

Il raccrocha et se versa un autre verre de vin.

Linda rentra peu après minuit. Mais à ce moment-là il s'était déjà couché et endormi, après avoir lavé son verre et rangé la bouteille vide.

12

À dix heures et quart le lendemain, 29 octobre, Martinsson et Wallander prirent la direction de Löderup pour une conversation avec Elin Trulsson, et d'éventuels autres voisins, afin de tenter de découvrir qui avait vécu dans cette maison autrefois.

La réunion du matin ne s'était guère éternisée. Lisa Holgersson avait été très claire, aucune ressource supplémentaire ne serait allouée tant qu'on n'aurait pas pris connaissance du rapport médico-légal définitif.

Martinsson, dans la voiture, était d'humeur mélancolique.

– Ah, l'hiver... Je déteste cette bouillasse de neige fondue sur les routes. J'achète des tickets à gratter. Ce que j'imagine quand je gratte, ce ne sont pas des billets de mille, mais une maison dans le Sud, en Espagne ou sur la Côte d'Azur.

– Et tu ferais quoi, là-bas ?

– Des tapis suédois traditionnels à poil long. En pensant à toute la neige fondue où je ne serais plus jamais obligé de me salir les pieds.

– Tu t'ennuierais. Tu remplirais tes tapis de motifs de tempête de neige, tu aurais une nostalgie terrible. Tu donnerais tout pour retrouver ce vieux climat pourri.

Ils s'arrêtèrent devant la ferme rouge située à deux cents mètres de celle de Karl Eriksson. Un homme d'une cinquantaine d'années s'apprêtait à grimper sur son tracteur. Il se retourna, surpris, puis s'approcha, leur serra la main et se présenta, Evert Trulsson. La ferme était à lui. Wallander expliqua la raison de leur présence.

– Qui aurait pu croire ça de Karl, dit Evert Trulsson quand il eut fini.

– Croire quoi ?

– Qu'il avait un cadavre enterré dans son jardin.

Wallander jeta un regard à Martinsson. La logique du fermier lui échappait.

– Tu veux dire qu'il aurait enterré le corps lui-même ?

– Qu'est-ce que j'en sais, moi ? Que sait-on de ses voisins ? Dans le temps, on savait presque tout des gens qu'on avait autour de soi. Aujourd'hui on n'a plus aucune idée de rien.

Wallander songea qu'il avait devant lui l'un de ces conservateurs invétérés qui pensent sans l'ombre d'une hésitation que tout était mieux avant. Il résolut de ne pas se laisser entraîner dans une conversation absurde.

– Elin Trulsson, enchaîna-t-il. Qui est-ce ?

– Ma mère.

– Nous avons appris qu'elle rend visite à Karl Eriksson dans sa maison de retraite. Ils sont amis ?

– Ma vieille mère est quelqu'un qui se préoccupe de son prochain. Je crois qu'elle va voir Karl parce que personne d'autre ne le fait.

– Ils sont donc amis ?

– Nous étions voisins. Ce n'est pas la même chose.

– Mais vous n'étiez pas ennemis, intervint Martinsson.

– Non. On était voisins. Nos propriétés se touchent. On avait donc la responsabilité partagée de ce chemin d'accès. On s'occupait de nos affaires communes, on se rendait visite et on se donnait un coup de main quand nécessaire. Mais on ne se fréquentait pas.

– D'après mes renseignements, les Eriksson sont arrivés en 1968. Ça fait trente-quatre ans. Ils ont racheté la ferme à un certain Gustav Henander.

– Oui, oui. Henander, c'est de la famille à nous. Je crois que mon père était le demi-frère d'un Henander qui était un enfant adopté. Je ne sais plus très bien. Ma mère se souvient peut-être. Mon père est mort depuis longtemps. Un café ?

Ils se dirigèrent vers la maison.

– Gustav et Laura Henander avaient trois enfants, dit Martinsson. Deux garçons et une fille. Mais y avait-il quelqu'un d'autre dans la maison ? Une femme, par exemple ?

– Non. On voyait d'ici les gens qui passaient là-bas. Ils vivaient isolés, ne recevaient jamais de visite.

Il faisait chaud dans la cuisine ; deux énormes chats installés dans l'embrasure de la fenêtre levèrent les yeux à leur entrée. Une femme d'une cinquantaine d'années les accueillit. La femme d'Evert Trulsson. Elle les salua et se présenta, Hanna. Sa main, quand Wallander la serra, était toute molle.

– Asseyez-vous, dit Evert Trulsson. Je vais chercher la mère.

Il mit quinze minutes à revenir en compagnie d'Elin. Wallander et Martinsson avaient entre-temps essayé de faire la conversation à Hanna, sans grand succès. La seule chose qu'ils avaient apprise en un quart d'heure, c'était que l'un des chats s'appelait Jeppe et l'autre Florry.

Elin Trulsson était très âgée. Les rides qui sillonnaient son visage le rendaient semblable à une sculpture. Elle était très belle, pensa Wallander. Comme un vieil arbre. Cette réflexion lui était déjà venue autrefois en contemplant le visage de son père. Il existait une beauté que seule la vieillesse pouvait offrir. Toute une vie gravée dans les rides.

Ils se saluèrent. À l'inverse de sa bru, la mère avait une poigne solide.

– J'entends mal, l'informa-t-elle. De l'oreille gauche, je n'entends rien, de la droite, oui, mais à condition que les gens ne parlent pas tous en même temps.

– Je lui ai expliqué la situation, annonça Evert Trulsson.

Wallander se pencha vers la vieille femme. Martinsson se tenait prêt, armé d'un carnet et d'un stylobille.

En pure perte. Elin Trulsson n'avait absolument rien d'intéressant à raconter. La vie qu'avaient menée Karl Eriksson et son épouse ne recelait aucun secret, selon elle. Elle n'avait pas davantage le moindre commentaire à faire sur la famille Henander. Wallander essaya de remonter jusqu'à Ludvig Hansson, l'homme qui avait vendu la ferme à Henander en 1949.

– Je ne vivais pas encore là à cette époque, dit Elin Trulsson. Je travaillais en ville, à Malmö.

– Combien de temps Ludvig Hansson a-t-il été propriétaire de la ferme ?

Elin Trulsson interrogea son fils du regard ; celui-ci écarta les bras.

– Depuis plusieurs générations, à mon avis, dit-il. Il ne devrait pas être trop difficile de se renseigner là-dessus.

Wallander comprit que c'était une impasse. Il fit un signe discret à Martinsson. Tous deux remercièrent pour le café, serrèrent la main des trois Trulsson et quittèrent la maison sous la conduite d'Evert. La neige, entre-temps, s'était transformée en pluie.

– C'est dommage que mon père ne soit plus là, fit Evert Trulsson en les quittant. Il avait une mémoire incroyable. En plus, il faisait des recherches sur l'histoire du coin, pour son plaisir. Il n'a jamais rien noté par écrit, mais c'était un très bon conteur. Si j'avais été moins bête, je l'aurais enregistré.

Wallander allait refermer sa portière quand il s'aperçut qu'il lui restait une question.

– Y a-t-il jamais eu une disparition signalée dans le coin ? À ton époque, ou avant ? Les disparitions mystérieuses, c'est un sujet de conversation qui reste. Les gens en parlent encore longtemps après.

Evert Trulsson réfléchit avant de répondre.

– Il me semble bien que oui. Une fille adolescente a disparu par ici au milieu des années 1950. Personne ne sait ce qu'elle est devenue. Si elle s'est suicidée, ou si elle a fugué ou quoi. Elle avait quatorze ans, quinze peut-être. Elle s'appelait Elin, comme la mère. Mais à part elle, non, je ne vois personne.

Wallander et Martinsson reprirent la route d'Ystad.

– Ça suffit, dit Wallander. Maintenant on ne fait rien de plus tant que les gens de Lund n'auront pas remis leur rapport. On ne peut qu'espérer que Stina Hurlén s'est trompée et que c'était une mort naturelle, en définitive. Dans ce cas, il suffira d'identifier la personne. Et si on n'y arrive pas, ce n'est pas trop grave.

– Bien sûr que non, dit Martinsson. Elle ne s'est pas trompée. Pour le reste, je suis d'accord. On n'a plus qu'à attendre.

De retour au commissariat, ils travaillèrent à d'autres dossiers. Quelques jours plus tard, le vendredi 1er novembre, une tempête de neige s'abattit sur la Scanie. Les routes étaient paralysées et toutes les ressources de la police mobilisées pour gérer la situation. La neige cessa de tomber le lendemain dans l'après-midi. Le dimanche, il se mit à pleuvoir ; la neige fondit en peu de temps.

Le lundi 4 novembre au matin, Linda et Wallander se rendirent ensemble au commissariat. Ils venaient de franchir le seuil quand Martinsson surgit tel un bolide, des papiers à la main.

Wallander comprit aussitôt que l'institut médico-légal de Lund s'était manifesté.

13

Stina Hurlén et ses collègues avaient fait du bon boulot. Ils avaient encore besoin de temps pour parachever l'examen du squelette. Mais les points qu'ils pouvaient d'ores et déjà confirmer orientaient de façon ferme la suite du travail des enquêteurs. Le squelette présentait en effet le type de lésion au niveau des vertèbres cervicales caractéristique de la mort par pendaison. On pouvait donc conclure à un meurtre car, comme le fit sobrement remarquer Wallander, les gens avaient peut-être coutume de se pendre, mais pas de se dépendre ensuite et d'aller s'enterrer eux-mêmes dans leur jardin ou dans le jardin d'autrui.

L'hypothèse de Stina Hurlén concernant l'âge de la femme s'était aussi vérifiée. Elle avait effectivement la cinquantaine au moment de sa mort. Son squelette ne présentait pas d'usure articulaire marquée. Il ne s'agissait donc pas d'une personne qui avait l'habitude d'effectuer des travaux de force.

Mais c'était le dernier point du rapport qui donnait véritablement aux enquêteurs l'impression de disposer désormais d'une « prise » sur le dossier

– celle que tout policier recherche au début d'une enquête préliminaire.

La femme était sous terre depuis une période comprise entre cinquante et soixante-dix ans. Wallander n'avait pas la moindre idée de la façon dont les médecins et autres experts étaient parvenus à cette conclusion. Mais il s'y fiait. Les gens de Lund se trompaient rarement.

Wallander emmena Martinsson et Linda dans son bureau. Linda n'était pas officiellement sur l'affaire, mais elle la suivait par curiosité. Et Wallander avait appris à apprécier à leur juste valeur ses commentaires spontanés, qui se révélaient parfois d'une utilité immédiate.

– L'époque, dit Wallander quand tout le monde fut assis. Que pouvons-nous en dire ?

– Elle serait donc morte entre 1930 et 1950, dit Martinsson. Ça rend notre travail à la fois plus facile et plus compliqué. Plus facile parce que nous devons chercher dans un champ de temps défini. Plus compliqué parce que ça remonte à loin.

Wallander sourit.

– Jolie formule. Chercher dans un champ de temps. Je ne l'avais jamais entendue. Tu devrais peut-être te faire poète dans ta prochaine vie.

Il se pencha par-dessus son bureau avec une énergie soudaine. Ils avaient du grain à moudre !

– Il va falloir s'activer maintenant, dit-il. Remuer la poussière des archives. Vous n'étiez même pas nés au moment des faits – moi oui, peut-être, mais à peine. Je veux vraiment savoir qui était cette femme et ce qui lui est arrivé...

– Une minute, intervint Linda. Si on suppose que ça s'est passé en 1940, histoire de couper la poire en deux, et que l'auteur du crime avait, mettons, trente ans, cela veut dire que nous cherchons quelqu'un qui aurait plus de quatre-vingt-dix ans aujourd'hui… Et s'il était plus vieux au moment des faits, il a toutes les chances d'être mort.

– Exact, dit Wallander. Mais on ne va pas renoncer pour si peu. Ce qu'on veut savoir avant toute chose, c'est *qui* était cette femme. Elle peut avoir de la famille, des enfants, des petits-enfants, qui seront soulagés d'apprendre ce qui lui est arrivé.

– Si je comprends bien, on se transforme en policiers archéologues, dit Martinsson. Ça va être intéressant d'apprendre quel niveau de priorité va nous accorder Lisa.

Ce fut comme l'avait anticipé Wallander : niveau de priorité zéro. Lisa Holgersson admettait que la découverte du squelette devait donner lieu à une enquête. Mais impossible d'y affecter des ressources supplémentaires, ils menaient déjà beaucoup trop d'enquêtes de front.

– J'ai les statisticiens de la direction centrale sur le dos, soupira-t-elle. Nous devons montrer un taux d'élucidation satisfaisant. Il ne suffit plus de déclarer comme résolues toutes les affaires que nous classons sans suite.

Martinsson et Wallander levèrent la tête en même temps. Médusé, Wallander devina qu'elle en avait trop dit. Ou alors elle voulait juste partager son malaise.

– C'est vraiment possible ? demanda-t-il prudemment.

– Tout est possible. En attendant le jour où la police des polices découvrira le pot aux roses.

– Ça retombera sur nous, dit Wallander. C'est à nous que le public s'en prendra.

– Non, protesta Martinsson. Les gens ne sont pas bêtes, ils voient bien qu'on est de moins en moins nombreux, ils voient bien que ce n'est pas nous, le problème.

Lisa Holgersson se leva. L'entretien était terminé. Elle ne voulait pas poursuivre cette conversation gênante sur l'escroquerie aux affaires non résolues et pourtant résolues.

Martinsson et Wallander se dirigèrent vers une salle de réunion. Dans le couloir ils tombèrent sur Linda, qui s'apprêtait à partir avec un véhicule de patrouille.

– Comment ça s'est passé ?

– Comme prévu, répondit Wallander. On a trop de travail. Alors on en fait le moins possible.

– Tu es injuste, protesta Martinsson.

– Bien sûr. Qui a dit que la justice avait un quelconque rapport avec le travail de la police ?

Linda s'éloigna en secouant la tête.

– Je n'ai pas compris ton dernier commentaire, fit Martinsson.

– Moi non plus. Mais ça ne fait pas de mal aux jeunes d'avoir un sujet à méditer.

Ils s'installèrent. Via le réseau interne, Martinsson réussit à localiser Stefan Lindman, qui arriva quelques minutes plus tard, un dossier à la main.

– Les disparus, commença Wallander. Rien n'est plus captivant que les gens qui s'évanouissent dans la nature. Ceux qui sortent acheter un litre de lait et ne reviennent jamais. Ou qui partent rendre visite à une amie et ne donnent plus signe de vie. Et quand c'est une jeune femme qui disparaît, les gens se passionnent encore plus. Ulla, par exemple, qui a disparu après un bal à Sundbyberg, c'était dans les années 1950. On ne l'a jamais retrouvée. Je vois encore son visage quand je pense à elle.

– Il y a des statistiques, dit Stefan Lindman. La plupart des soi-disant disparus reviennent au bout de quelques jours, une semaine au maximum. Ceux qu'on ne retrouve pas sont extrêmement rares.

Il ouvrit le dossier.

– J'ai creusé dans le temps. Pour cerner avec un peu de marge l'époque que nos médecins ont déterminée, j'ai cherché entre 1930 et 1955. Nos registres, y compris les archives et les cas prescrits à divers titres, sont bien remplis. Je crois que j'ai une idée assez précise des femmes qui pourraient nous intéresser, dans une zone géographique large.

Wallander se pencha par-dessus la table.

– Qu'est-ce que tu as trouvé ?

– Rien.

– Quoi ?

Stefan Lindman le regardait sans ciller.

– Rien. Au cours de la période en question, il n'y a pas une seule quinquagénaire qui ait été portée disparue dans la région d'Ystad. Et pas davantage dans celle de Malmö. Je croyais être sur la trace d'une femme de quarante-neuf ans originaire de

Svedala qui a quitté son domicile sans prévenir en décembre 1942. Mais elle a reparu quelques années plus tard. Elle avait fugué loin de son mari en compagnie d'un soldat de Stockholm stationné dans le coin. Puis elle en a eu assez, la passion s'est refroidie ou que sais-je, et elle est rentrée chez elle. À part ça, rien du tout.

Wallander et Martinsson méditèrent en silence les paroles de Stefan Lindman.

– La disparition de cette femme qui nous occupe n'a peut-être pas été déclarée, dit enfin Martinsson. Mais elle a bien dû manquer à quelqu'un…

– Elle pouvait aussi venir d'ailleurs, suggéra Stefan Lindman. Si on recherchait toutes les femmes de cet âge qui ont disparu dans toute la Suède au cours de ces années-là, on obtiendrait évidemment un résultat très différent. En plus, c'était la guerre, il y avait beaucoup de mouvement. Beaucoup de réfugiés, entre autres, qui n'étaient peut-être pas toujours recensés dans les règles de l'art.

Wallander suivait une autre idée.

– Je vois les choses comme ceci, dit-il. Nous ne savons pas qui est cette femme. Ce que nous savons, c'est qu'on l'a enterrée. Quelqu'un a tenu une pelle, a creusé un trou dans ce jardin et l'y a enfouie. On peut penser que c'est le même individu. Homme ou femme d'ailleurs, l'hypothèse d'une femme n'est pas exclue. Voilà par où nous devons commencer. Qui a tenu la pelle ? Pourquoi à cet endroit, dans le jardin de Karl Eriksson ?

– Pas de Karl Eriksson, corrigea Martinsson. Le jardin de Ludvig Hansson.

Wallander acquiesça.

– C'est par là que nous devons commencer, insista-t-il. Ludvig Hansson et sa famille. Les propriétaires de l'époque. Tous ceux qui vivaient à la ferme en ce temps-là sont morts, sauf les enfants. Il faut démarrer par là. Les enfants de Ludvig Hansson.

– Je continue ? demanda Stefan Lindman. Le reste de la Suède, je veux dire ? Les femmes disparues entre 1930 et 1955 ?

– Oui, dit Wallander. Cette femme a dû être portée disparue à un moment ou à un autre. Elle existe. Quelque part, elle existe. Nous allons la trouver.

14

Wallander passa trois jours à pister le seul enfant de Ludvig Hansson qui fût encore en vie. De son côté, Stefan Lindman avait commencé à dresser l'inventaire des femmes suédoises disparues au cours de ces années-là, et en avait trouvé deux qui avaient l'âge requis, c'est-à-dire la cinquantaine. Ce qui le faisait hésiter, à l'instar de ses collègues, c'était que dans le premier cas il s'agissait d'une femme vivant à Timrå près de Sundsvall, dans le nord du pays, et que la seconde, une certaine Maria Teresa Arbåge, était domiciliée à Luleå, près du cercle polaire – encore plus au nord, autrement dit.

Pendant ce temps, Martinsson avait épluché les registres immobiliers et découvert que la ferme était dans la famille de Ludvig Hansson depuis le milieu du dix-neuvième siècle. Le premier Hansson était en réalité un Hansen, originaire du nord de la Scanie, à la frontière du Småland. Wallander et Martinsson eurent quelques conversations portant sur la raison pour laquelle Ludvig Hansson avait soudain vendu la ferme familiale. Le motif était-il susceptible d'éclairer la présence du squelette dans le jardin ?

Linda avait émis une suggestion dont Wallander avait dû admettre, un peu à contrecœur, la grande pertinence. Celle de se procurer d'autres photos aériennes de la ferme, plus anciennes que celle qui était accrochée au mur de la pièce principale. Le jardin avait-il subi des transformations ? Si oui, à quelle époque ? Et qu'était-il arrivé à l'aile du bâtiment qui avait été détruite à un moment donné ?

Wallander, quant à lui, s'était penché sur les registres de l'état civil, ce qui lui avait permis de retrouver la trace du seul survivant des quatre enfants Hansson. Une femme, en l'occurrence, prénommée Kristina et née en 1937. C'était la petite dernière de Ludvig et de son épouse Alma ; elle était née bien après les autres. Mariée, elle avait pris le nom de Fredberg et vivait désormais à Malmö. Ce ne fut pas sans une certaine excitation que Wallander décrocha son téléphone pour composer son numéro.

La femme qui lui répondit après quelques sonneries avait une voix très jeune. Il dit son nom, se présenta comme étant de la police et demanda à parler à Kristina. Son interlocutrice le pria d'attendre un instant.

Kristina Fredberg finit par arriver. Elle avait une voix agréable. Wallander lui expliqua la raison de son appel, il avait besoin de lui parler dans le cadre de l'enquête sur…

– Oui, dit Kristina Fredberg aussitôt. J'en ai entendu parler par les journaux. J'ai du mal à comprendre que cela se soit produit dans le jardin où je jouais enfant. On ne sait toujours pas qui était cette femme ?

– Non.

– Je ne pense pas pouvoir être utile en quoi que ce soit…

– Nous avons besoin de nous faire une image. Dans les grandes lignes.

– Viens quand tu veux[1], dit-elle. J'ai tout mon temps. Je suis veuve. Mon mari est mort il y a deux ans. Un cancer. Tout est allé très vite.

– C'est ta fille qui m'a répondu tout à l'heure ?

– Lena. C'est ma cadette. Le code de la porte est 1225.

Wallander obtint un rendez-vous chez elle, dans le centre-ville de Malmö, en fin de matinée. Sans vraiment savoir pourquoi, il appela Linda et lui demanda si elle voulait l'accompagner. Elle était de congé après deux nuits de service. Il l'avait réveillée. Mais à la différence de son père, elle se fâchait rarement quand on la tirait du sommeil. Ils convinrent qu'il passerait la chercher une heure plus tard.

Il pleuvait et le vent soufflait quand ils prirent la route de Malmö. Il était onze heures du matin. Wallander avait glissé une cassette dans le lecteur, un enregistrement de *La Bohème*. Linda n'étant pas une fan d'opéra, il l'avait mis en sourdine. Parvenus à Svedala, il coupa le son.

– Elle habite en plein centre, dit-il. Södra Förstadsgatan.

– On aura un moment, après ? Je voudrais faire un peu de shopping. Ça fait longtemps.

– Quel genre ?

1. Le tutoiement est généralisé en Suède depuis les années 1970.

– Fringues. J'aimerais bien m'acheter un pull. Pour me consoler.

– Pourquoi ?

– Parce que je me sens seule.

– Comment ça se passe avec Stefan ?

– Bien. Ça n'empêche pas qu'on puisse se sentir seule quand même.

Wallander ne répondit pas. Il ne savait que trop bien de quoi elle parlait.

Il laissa la voiture à côté du centre commercial Triangeln. Le vent était mordant. Ils trouvèrent l'adresse. Wallander avait noté le code de la porte sur sa main.

Kristina Fredberg vivait au dernier étage. Il n'y avait pas d'ascenseur. Wallander arriva en haut hors d'haleine. Linda lui jeta un regard éloquent.

– Si tu ne te mets pas bientôt au sport, tu vas te choper une crise cardiaque.

– Mon cœur va très bien, merci. J'ai fait du vélo avec des électrodes partout sur le corps et le résultat était excellent. Ma tension est parfaite, 13/8. En plus, je n'ai pas de cholestérol. Ou presque pas. Mon diabète est sous contrôle. Cerise sur le gâteau, je vais une fois par an faire examiner ma prostate. Ça te va comme ça, ou tu veux que je te le note par écrit ?

– Tu es dingue. Mais assez marrant. Allez, sonne.

Kristina Fredberg faisait beaucoup plus jeune que son âge. S'il n'avait pas su qu'elle avait soixante-cinq ans, il lui en aurait donné moins de cinquante.

Elle les invita à entrer. Une cafetière et des biscuits étaient posés sur la table basse du séjour. Ils venaient de s'asseoir quand une femme de l'âge de Linda entra dans la pièce et se présenta, « Lena ». Wallander se demanda quand il avait vu pour la dernière fois une beauté pareille. Elle ressemblait à sa mère, parlait comme elle, avec la même voix, et son sourire lui donnait l'envie secrète de la toucher.

– Ça vous dérange si je reste ? s'enquit-elle. Par pure curiosité…

– Aucun problème, dit Wallander.

Elle s'installa à côté de sa mère sur le canapé. Wallander ne put éviter de regarder ses jambes. Au même instant il perçut la réprobation de Linda. Le dépit l'envahit. *Pourquoi lui ai-je demandé de venir ? Pour lui donner encore de nouvelles raisons de me critiquer ?*

Kristina Fredberg servit le café pendant que Wallander sortait son carnet et un crayon. Mais il avait évidemment oublié ses lunettes. Tant pis. Il rangea le carnet dans sa poche.

– Tu es née en 1937, commença-t-il. La plus jeune de la fratrie…

– Oui, j'étais la petite dernière, avec une grande différence d'âge par rapport à mes frères et sœur. Je ne pense pas avoir été spécialement désirée. Plutôt, disons, un accident.

– Qu'est-ce qui te fait croire ça ?

– C'est le genre de chose qu'on sent, quand on est enfant. Mais personne n'a jamais rien dit.

– Tu as grandi à la ferme ?

– Oui et non. On y a vécu jusqu'en novembre 1942. Après, maman est partie habiter à Malmö pendant deux ans avec nous. Nous, les enfants, je veux dire.

– Pourquoi ?

Wallander nota une imperceptible hésitation chez elle avant qu'elle ne réponde.

– Mon père et ma mère ne s'entendaient plus. Mais ils ne se sont pas séparés pour autant. Je ne sais pas ce qui s'est passé. Nous avons vécu quelques années dans un appartement à Limhamn. Puis, au printemps 1945, on est revenus vivre à la ferme. Ils n'étaient plus brouillés. Avant sa mort, j'ai essayé de questionner ma mère. Mais elle ne voulait pas en parler. J'ai interrogé mes frères et sœur, ils n'en savaient pas plus que moi. Il n'y avait peut-être pas eu d'événement décisif. L'union s'était fissurée. Ma mère est partie, elle nous a emmenés avec elle. Ensuite ils se sont réconciliés. Et ils sont restés ensemble jusqu'à leur mort. Je me souviens de mes parents comme de deux personnes qui s'aimaient beaucoup. Ces années de guerre, quand j'étais enfant, ne sont plus aujourd'hui qu'un souvenir imprécis. Sombre, mais très lointain.

– Au cours de ces années-là, ton père est donc resté à la ferme ?

– Il y avait les bêtes. Il fallait bien s'en occuper. Mon frère aîné a toujours dit que notre père avait deux garçons de ferme pour l'aider à cette époque, et que l'un d'eux était arrivé du Danemark en tant que réfugié. Je n'en sais pas davantage. Mon père n'était pas un homme bavard.

Wallander réfléchit. Une question s'imposait.

– Il n'aurait pas par hasard rencontré une autre femme ?

– Non.

– Comment peux-tu en être certaine ?

– Je le sais, c'est tout.

– Peux-tu m'en dire un peu plus ?

– Ma mère ne serait jamais retournée vivre à la ferme si mon père avait eu une maîtresse. C'était la campagne. Il aurait été impossible de garder un secret pareil.

– Mon expérience à moi, c'est qu'il est possible d'avoir des secrets, peu importe où on habite.

Wallander vit Linda hausser les sourcils d'un air intéressé.

– Sûrement, oui. Mais mentir à ma mère, non. Elle avait une intuition comme je n'en ai jamais vu chez personne.

– Sauf chez moi, intervint sa fille.

– C'est juste. Tu as hérité ça de ta grand-mère. Toi non plus, on ne peut rien te cacher.

Kristina Fredberg était convaincante. Wallander ne doutait pas de sa parole ; elle n'était pas du genre à taire délibérément une information qui aurait pu aider les enquêteurs. Mais pouvait-elle être sûre de ce que son père avait fait, ou non, pendant ces deux années de guerre où il avait vécu seul à Löderup ?

– Ces garçons de ferme, reprit-il. L'un était arrivé du Danemark, dis-tu. Comment s'appelait-il ?

– Jörgen, je m'en souviens. Mais il est mort. Il a attrapé une maladie quelconque. Des reins, je crois. Il est mort dans les années 1950.

– Et le deuxième ?

– D'après mon frère Ernst, oui, il y en avait un deuxième. Mais je n'ai jamais entendu citer de nom.

– Il y a peut-être des photographies ? Ou des bulletins de salaire ?

– Je crois bien que mon père ne s'encombrait pas de paperasse. Il payait, point à la ligne. Et des photos, à ma connaissance, il n'y en a pas. En tout cas, je n'en ai jamais vu.

Wallander se resservit du café.

– Est-ce que cela aurait pu être une *fille* de ferme, pas un garçon ? demanda soudain Linda.

Wallander s'énerva en silence. De quel droit venait-elle piétiner ses plates-bandes ? Il voulait bien qu'elle l'accompagne pour écouter et apprendre, mais qu'elle prenne des initiatives sans demander la permission, c'était quand même de l'abus.

Kristina Fredberg s'était tournée vers Linda.

– Non. Il n'existait pas de filles de ferme à l'époque. Des gouvernantes, peut-être. Mais des filles de ferme, non. Je suis vraiment convaincue que mon père n'avait pas de maîtresse. Je ne sais pas qui est enterré dans le jardin. Rien que d'y penser, ça me fait frémir. Mais je suis sûre que mon père n'y est pour rien. Même si la ferme était à lui et qu'il l'habitait au moment des faits.

– Qu'est-ce qui te rend si sûre de toi ? Excuse-moi, mais il faut que je te pose la question.

– Mon père était un homme pacifique. Il n'a jamais fait de mal à une mouche. Je ne me souviens pas qu'il ait jamais donné la moindre claque à mes frères. Il manquait totalement de la faculté de se mettre en colère. Ne faut-il pas malgré tout avoir un peu de rage en soi, un côté, comment dire, un peu

incontrôlable, pour être capable de tuer quelqu'un ?
Moi en tout cas, c'est ce que j'imagine.

Wallander n'avait plus qu'une question dans l'immédiat.

– Tes frères et sœur ne sont plus en vie, je le sais, mais y aurait-il quelqu'un d'autre à qui je devrais parler, d'après toi ? Qui aurait éventuellement des souvenirs liés à cette période ?

– Tout cela remonte à si loin. Tous ceux de la génération de mes parents ont disparu depuis longtemps. Mes frères et sœur aussi. Je ne vois vraiment pas à qui tu pourrais t'adresser…

Wallander se leva et serra tour à tour la main des deux femmes. Linda l'imita, et ils quittèrent l'appartement.

Elle attendit d'être dans la rue pour se planter devant lui.

– Je ne veux pas avoir un père qui bave à la vue d'une jolie fille qui est plus jeune que moi.

Wallander réagit brutalement :

– De quoi parles-tu ? Je ne *bavais* pas. Tu es tombée sur la tête ? Oui je l'ai trouvée belle. Mais ne viens pas me dire que je fais des trucs inconvenants. Si c'est ça, tu peux prendre le train pour rentrer à Ystad. Et aller t'installer chez quelqu'un d'autre.

Wallander s'éloigna à grands pas. Elle le rattrapa devant la voiture et se planta de nouveau face à lui.

– Je te demande pardon si je t'ai blessé.

– Je ne veux pas que tu fasses mon éducation. Ni que tu m'obliges à être quelqu'un que je ne suis pas.

– Mais puisque je te dis que je te demande pardon.

– J'ai entendu.

Elle faillit ajouter quelque chose, mais Wallander leva la main. Ça suffisait. Pas besoin d'en dire plus.

Ils prirent la route d'Ystad en silence. Après Svaneholm, la conversation redémarra prudemment. Linda était du même avis que lui : un événement décisif avait pu se produire au cours des années où Ludvig Hansson avait vécu seul à la ferme.

Wallander essaya d'imaginer des scénarios possibles. Mais il n'y avait rien du tout. Rien que le squelette de cette main soudain sorti de terre.

Le vent soufflait de plus en plus fort. L'hiver n'était vraiment plus très loin.

15

Le lendemain, vendredi 8 novembre, Wallander se réveilla très tôt, en sueur. Il essaya de se rappeler son rêve. C'était en rapport avec Linda. Peut-être un rappel de leur confrontation de la veille. Mais sa mémoire était vide ; le rêve avait refermé ses portes.

Il était cinq heures moins dix. Il resta allongé dans le noir, essayant en vain de se rendormir pendant que la pluie tambourinait contre la fenêtre de sa chambre. À six heures, fatigué de se retourner dans son lit, il se leva. Devant la porte de Linda, il s'arrêta et prêta l'oreille. Elle dormait, avec des ronflements légers.

Il se fit du café et s'assit à la table de la cuisine. La pluie au-dehors s'accompagnait de rafales de vent. Presque inconsciemment, il avait décidé de commencer sa journée par une nouvelle visite à la ferme où l'on avait découvert le squelette. Ce qu'il espérait découvrir, il n'en savait rien. Mais c'était une habitude chez lui, un besoin récurrent : retourner sur le lieu d'un crime, ne serait-ce que pour confirmer, ou démentir, sa première impression.

Il quitta Ystad une demi-heure plus tard. Quand il arriva à la ferme de Löderup, le jour n'était pas encore levé. Le périmètre de sécurité était toujours en place. Il fit lentement le tour de la maison ; puis celui du jardin. Avait-il omis quelque chose ? Quoi ? Un élément étranger, incongru, d'une façon ou d'une autre… Dans le même temps, il essayait de se représenter un scénario possible.

Il y a eu ici, autrefois, une femme qui n'est jamais repartie. Quelqu'un a dû se demander ce qu'elle était devenue. Mais cette personne ne l'a pas cherchée à cet endroit… Personne n'a soupçonné quoi que ce soit qui aurait pu attirer l'attention de la police sur cette ferme.

Il s'arrêta juste à côté de la fosse recouverte par une bâche terreuse.

Pourquoi le corps a-t-il été enfoui à cet endroit précis ? Le jardin est vaste. Quelqu'un a fait un choix et pris une décision. Ici, précisément, nulle part ailleurs.

Il se remit en marche, tentant de classer les questions qu'il se formulait au fur et à mesure. Il entendait le bruit d'un tracteur au loin. Un rapace solitaire resta suspendu dans les airs quelques instants avant de plonger vers un champ voisin. Il retourna au bord de la fosse. Il était là, à regarder autour de lui, quand un détail attira soudain son attention. Un groupe de groseilliers… Tout d'abord il ne comprit pas ce qui l'avait alerté. Un détail dans la disposition des arbustes, peut-être ?

Le jardin était marqué par la symétrie. Tout ce qui y était planté formait des motifs, et il avait beau être à l'abandon, ces motifs restaient très visibles. Or ces groseilliers ne cadraient pas avec le reste.

Ils formaient une exception à la règle de ce jardin.

Après quelques minutes, il comprit que ce n'était pas un motif qui aurait été altéré, mais un motif absent. Certains groseilliers semblaient avoir été plantés de façon aléatoire. Alors que tout le reste dans ce jardin observait le principe de la ligne droite.

Il s'approcha et les examina de plus près. Le désordre était manifeste. Or, à en juger par leur forme et par leur taille, ils avaient tous le même âge. Ils avaient été mis en terre en même temps…

Il réfléchit. La seule explication qui lui vint était qu'ils avaient été déterrés à un moment ou à un autre, avant d'être replantés. Par quelqu'un qui n'avait aucun sens de la symétrie.

Il y avait une autre possibilité, songea-t-il ensuite. Celui qui les avait déterrés, puis replantés, était peut-être pressé…

Le jour poignait. Il était presque huit heures. Il prit place dans l'un des fauteuils de pierre moussus qui formaient le mobilier de ce jardin tout en continuant d'observer les groseilliers. Était-il possible qu'il se trompe du tout au tout ? Un quart d'heure plus tard, son opinion était faite. La disposition de ces arbustes racontait une histoire. Négligence ou précipitation, cela méritait qu'on s'y attarde.

Il prit son téléphone et appela Nyberg, qui venait d'arriver au commissariat.

– Je suis désolé de t'avoir dérangé si tard la dernière fois... commença-t-il.

– Si tu étais vraiment désolé, ça fait longtemps que tu aurais cessé de m'appeler chez moi à toutes les heures du jour et de la nuit. Il est arrivé que tu le fasses à quatre heures du matin pour me poser des questions qui auraient toutes pu attendre une heure décente. Je ne me souviens pas que tu te sois excusé alors.

– J'ai peut-être fait des progrès.

– Mais oui, bien sûr. Qu'est-ce que tu veux ?

Wallander lui dit où il était et lui exposa son sentiment. Nyberg était *la* personne capable de comprendre en quoi le fait que quelques groseilliers ne soient pas plantés exactement au bon endroit pouvait être important.

– J'arrive, dit-il quand Wallander eut fini. Mais je serai probablement seul. Tu as une pelle dans ta voiture ?

– Non, mais on en trouvera sûrement une dans la remise.

– Ce n'est pas ce que je voulais dire. J'apporte la mienne. Je voulais juste m'assurer que tu ne commences pas à creuser et à farfouiller sans moi.

– Je ne toucherai à rien avant ton arrivée, promis.

Wallander raccrocha et remonta dans sa voiture ; il avait froid. Il alluma la radio et écouta distraitement quelqu'un parler d'une nouvelle maladie contagieuse qui serait véhiculée par des tiques ordinaires.

Il éteignit la radio et attendit.

Dix-neuf minutes plus tard, Nyberg freinait devant la ferme. Il salua Wallander. Il avait mis des bottes en caoutchouc, une combinaison de travail et un étrange bonnet de chasseur enfoncé au ras des sourcils. Il ouvrit son coffre et en sortit une pelle.

– On devrait peut-être t'être reconnaissant pour ne pas avoir trébuché sur cette main après les premières gelées.

– Bof. Même pas sûr qu'il gèle, cette année.

Nyberg marmonna une réponse inaudible. Ils contournèrent la maison. Wallander lui montra l'endroit et vit à son air qu'il partageait son sentiment quant à la disposition des groseilliers. Nyberg enfonça prudemment le tranchant de sa pelle dans la terre. Son geste était calculé ; il semblait avoir un but précis.

– La terre est tassée, annonça-t-il en se redressant. Elle est liée par les racines des arbustes. Ça veut dire qu'elle n'a pas été retournée à cet endroit depuis longtemps.

Il commença à creuser. Wallander l'observait. Au bout de quelques minutes à peine, il s'interrompit et commença à chercher à mains nues. Du bout des doigts, il retira quelque chose qui ressemblait à un caillou et le tendit à Wallander.

C'était une dent. Une dent humaine.

16

Deux jours plus tard, le jardin entier était retourné. À l'endroit où Nyberg avait enfoncé le tranchant de sa pelle et où Wallander avait reçu de ses mains le minuscule caillou qui était en réalité une dent, ils avaient découvert un deuxième squelette. Stina Hurlén et les autres experts de l'institut médico-légal avaient identifié les restes d'un être humain de sexe masculin, cette fois, âgé d'une cinquantaine d'années au moment de sa mort et enterré en même temps que le premier corps. Son crâne présentait une lésion due probablement à un coup porté avec un objet contondant. La découverte du deuxième squelette avait naturellement suscité l'intérêt passionné des médias. Les gros titres se succédaient, évoquant « le jardin de la mort » ou « la mort au milieu des groseilliers ».

Lisa Holgersson ne pouvait plus refuser d'affecter des ressources supplémentaires à l'enquête. Wallander s'en vit confier la responsabilité aux côtés de la procureure, qui reprenait son poste après un congé de formation. Lisa Holgersson dit à Wallander de prendre son temps et de mener l'enquête préliminaire à fond. Tant qu'on n'aurait pas établi l'identité des victimes, on ne pourrait pas progresser dans la recherche du ou des auteurs des meurtres.

Stefan Lindman continuait à s'occuper des registres et des affaires classées susceptibles de les mettre sur une piste. Au départ, il s'agissait d'une femme seule ; à présent, on recherchait deux personnes disparues. Le public contribua au travail des policiers en échafaudant des hypothèses autour de disparitions énigmatiques survenues dans le passé. Wallander mit un collègue supplémentaire sur le coup pour assister Stefan Lindman et faire le tri parmi les appels et les suggestions qui parvenaient au standard.

Deux semaines plus tard, alors qu'on était déjà fin novembre, ils n'avaient toujours pas avancé dans l'identification des deux corps. Un jeudi après-midi, Wallander rassembla ses collaborateurs dans la plus grande des salles de réunion, demanda à tous d'éteindre leur portable et fit un récapitulatif méthodique sur l'état d'avancement de l'enquête. Ils revinrent au point de départ, parcoururent une nouvelle fois les rapports techniques et médico-légaux et écoutèrent la synthèse brillante – selon Wallander – que leur en fit Stefan Lindman. Quatre heures plus tard, quand tous les dossiers furent refermés, et après une pause pour aérer la pièce, Wallander s'essaya à un résumé.

Celui-ci tenait en quatre mots.

On fait du surplace.

Ils avaient deux squelettes, les restes de deux personnes d'une cinquantaine d'années, qui avaient selon toute vraisemblance été assassinées. Mais aucune identité, aucun élément tangible, pas le moindre indice sérieux.

– Le passé refuse de s'ouvrir, dit Wallander à la toute fin de la réunion, alors qu'ils en étaient à échanger librement leurs impressions.

Inutile de se répartir de nouvelles tâches. Les seules pistes dont ils disposaient leur fournissaient déjà suffisamment de travail. Tant qu'ils n'auraient pas avancé sur l'identité des victimes, ils étaient bloqués.

Wallander et Martinsson avaient déjà tenté, avec une fébrilité croissante, de dénicher des personnes capables de leur en dire un peu plus sur ces années de guerre pendant lesquelles Ludvig Hansson était resté seul à la ferme. Mais ces personnes semblaient toutes être décédées. À croire qu'il aurait fallu organiser des auditions dans les cimetières de la région. C'était là que se trouvaient les témoins et les acteurs potentiels de cette affaire. Y compris peut-être l'auteur du crime – détenteur des réponses que Wallander et ses collègues s'obstinaient en vain à chercher.

Il semblait impossible de découvrir un seul être encore en vie capable de les aider. Mais ils ne s'avouaient pas vaincus. Ils suivaient le protocole habituel, se plongeaient dans les archives, les anciennes affaires de police, et ne désespéraient pas de dénicher enfin le témoin providentiel.

Un soir, alors que Wallander venait de rentrer à Mariagatan avec un mal de tête terrible, Linda le rejoignit dans la cuisine et lui demanda comment ça allait.

– On ne renonce pas. Jamais de la vie.

Elle ne posa pas d'autres questions. Elle connaissait son père.

Il avait dit ce qu'il avait à dire.

17

Le 29 novembre, une neige compacte se mit à tomber sur la Scanie. La tempête était arrivée par l'ouest, paralysant pendant quelques heures le trafic aérien autour de l'aéroport de Sturup. Entre Malmö et Ystad, beaucoup de voitures avaient quitté la route, et c'était le chaos. Un peu plus tard cependant, le vent retomba, les températures remontèrent et la neige se transforma en pluie une fois de plus.

Wallander, debout à sa fenêtre dans son bureau, contemplait la rue où la neige finissait de se changer en une épaisse bouillie sale. Le téléphone sonna. Il sursauta, comme toujours, et prit le combiné.

– Wallander, j'écoute…

– C'est Simon.

– Pardon ?

– Simon Larsson. On était collègues dans le temps.

Wallander, médusé, crut qu'il avait mal entendu. Simon Larsson faisait partie de l'équipe du commissariat d'Ystad à l'époque où Wallander était arrivé de Malmö, presque trente ans auparavant. Simon Larsson était déjà vieux alors, et lorsqu'il avait pris sa retraite, deux ans plus tard, le chef de l'époque avait prononcé un discours vibrant. À la connaissance de Wallander, Simon Larsson n'était jamais passé au commissariat depuis pour rendre visite aux collègues. Il avait coupé les liens. Wallander avait entendu dire qu'il possédait une petite pommeraie au nord de Simrishamn et qu'il y consacrait l'essentiel de son temps.

Le plus étonnant, dans tout ça, était qu'il soit encore en vie. Wallander calcula rapidement qu'il devait avoir au moins quatre-vingt-cinq ans.

– Je me souviens bien de toi, dit-il. Mais je dois dire que ton appel me surprend.

– Tu me croyais sûrement mort. Moi aussi, il m'arrive de le croire.

Wallander ne trouva rien à répondre.

– J'ai suivi votre affaire dans les journaux, enchaîna Larsson. Les deux squelettes que vous avez trouvés dans le jardin… J'ai peut-être une information pour toi.

– Quoi donc ?

– Si tu passes me voir, j'aurai peut-être, je dis bien peut-être, quelque chose d'important à te raconter.

Simon Larsson parlait d'une voix distincte. Wallander nota son adresse. C'était une résidence médicalisée, près de Tomelilla. Il demanda s'il pouvait venir immédiatement. Pas de problème. Après avoir raccroché, il passa une tête dans le bureau de Martinsson. Personne. Son portable était pourtant sur la table. Wallander haussa les épaules et résolut d'y aller seul.

Simon Larsson était devenu un vieillard tout frêle, au visage sillonné de rides et qui portait un appareil auditif. Il fit entrer Wallander dans un logement qui lui sembla effrayant par la solitude qu'il dégageait. C'était comme de pénétrer dans l'antichambre de la mort. L'appartement se composait de deux pièces. Par la porte entrebâillée, il aperçut un lit sur lequel se reposait une femme âgée. Il prit place dans un fauteuil râpé. Simon Larsson servit le café avec des mains tremblantes. Wallander se sentait oppressé. Comme s'il se voyait lui-même, tel qu'il serait dans quelques dizaines d'années ; et ce qu'il voyait ne lui plaisait pas du tout. Un chat sauta sur ses genoux ; il ne le chassa pas. Il préférait les chiens, mais si des chats lui témoignaient leur sympathie à l'occasion, il n'avait rien contre.

Simon Larsson s'assit tout près de lui sur une chaise à barreaux.

– J'entends assez bien, dit-il. Mais je vois mal. Or je veux *voir* les gens à qui je parle. C'est sûrement une habitude que j'ai gardée de mes années dans la police.

– J'ai le même défaut. La même habitude, plutôt. Qu'est-ce que tu voulais me raconter ?

Simon Larsson inspira un grand coup, comme s'il avait besoin de prendre son élan avant de parler.

– Je suis né en août 1917. C'était un été de grande chaleur, l'année qui a précédé la fin de la guerre. J'ai commencé à travailler en 1937, pour le compte du procureur de Lund, et je suis arrivé à Ystad après l'étatisation de la police, dans les années 1960. Mais ce que je voulais te raconter s'est produit vingt ans avant, au tout début de ma carrière. En ce temps-là, je travaillais à Tomelilla. Ça a duré quelques années. On n'était pas aussi pointilleux sur le chapitre des frontières de district à cette époque, parfois on donnait un coup de main à Ystad et réciproquement. Un jour – c'était pendant la guerre – on a trouvé une carriole bâchée et un cheval sur une petite route, du côté de Löderup.

– Une carriole et un cheval ? Je ne saisis pas très bien…

– Si tu arrêtes de m'interrompre, tu vas comprendre. C'était à l'automne. On a reçu un coup de fil au poste de Tomelilla. Un type de Löderup. Il aurait dû appeler Ystad, mais il a préféré contacter le chef de police de Tomelilla. Il voulait signaler qu'il avait vu un cheval attelé à une carriole errant sur une route de campagne. J'étais seul au bureau ce matin-là. Comme j'étais en train d'apprendre à conduire, au lieu d'appeler Ystad, j'ai pris la voiture et je suis allé à Löderup. Effectivement je n'ai pas tardé à trouver ce cheval qui errait seul avec sa carriole. En soulevant la bâche, j'ai constaté que c'était le genre de roulotte typique de ceux qu'on appelait à l'époque les *tattare*. Aujourd'hui on dit « les gens du voyage », c'est plus digne. Quoi qu'il en soit, il n'y avait personne. C'était très étrange. Le cheval et la roulotte avaient surgi de nulle part, comme ça, au petit jour. Une semaine auparavant, ils avaient été vus à Kåseberga, avec leurs propriétaires cette fois. Il s'agissait d'un couple d'une cinquantaine d'années. Lui gagnait sa vie en affûtant les ciseaux, les couteaux, etc. Un couple aimable et sans histoires, d'après ceux qui avaient eu affaire à eux. Et voilà qu'ils avaient disparu.

– Ils n'ont jamais été retrouvés ?

– À ma connaissance, non. Je pensais que l'histoire pourrait vous intéresser.

– Absolument. Elle nous intéresse beaucoup. Ce couple ne figure pas dans nos fichiers. Curieux que personne n'ait signalé leur disparition…

– Je ne sais pas ce qui est arrivé ensuite. Quelqu'un a dû s'occuper du cheval ; quant à la roulotte, j'imagine qu'elle a fini de pourrir sur place. La vérité, je crois, c'est que personne ne se souciait vraiment du sort de ces gens qui vivaient sur les routes. Un an plus tard environ, j'ai interrogé les habitants du coin. Personne n'était au courant de quoi que ce soit. Les préjugés étaient terribles en ce temps-là. Ils le sont peut-être toujours, je ne sais pas.

– Te rappelles-tu autre chose ?

– Ça fait tellement longtemps… Je suis déjà content de me souvenir de ce que je t'ai raconté.

– Peux-tu me dire en quelle année c'était ?

– Non. Mais l'incident a été relaté dans les journaux. Tu devrais pouvoir le retrouver.

Wallander était soudain pressé. Il finit son café et se leva.

– Merci de m'avoir appelé. Si ça se trouve, c'est décisif. Je te tiens au courant.

– N'attends pas trop, dit Simon Larsson. Je suis vieux, je peux mourir d'un jour à l'autre.

Wallander laissa Tomelilla derrière lui. Il conduisait vite. Pour la première fois depuis le début de cette enquête, les choses commençaient enfin à bouger.

18

Martinsson mit quatre heures à dénicher les microfilms des numéros du quotidien local *Ystads Allehanda* où l'on pouvait lire les articles concernant la roulotte mystérieuse. Et revint au commissariat un peu plus tard avec une pile de photocopies des pages microfilmées. Wallander et lui s'installèrent dans la salle de réunion avec Stefan Lindman.

– Le 5 décembre 1944, commença Martinsson. «Vaisseau fantôme sur une route de campagne»; c'est le titre du premier article publié dans le journal.

Ils consacrèrent une heure à parcourir les documents. Les deux propriétaires de la roulotte s'appelaient Richard et Irina Pettersson. Le journal reproduisait dans ses pages une photographie floue du couple, tirée à partir d'un portrait encadré découvert dans la roulotte.

– Simon Larsson a bonne mémoire, dit Wallander quand ils eurent fini de lire. Nous ne pouvons que l'en remercier. Tôt ou tard, nous aurions peut-être retrouvé leur trace, mais ce n'est pas sûr. Je me demande s'il ne s'agit pas effectivement des personnes que nous recherchons.

– L'âge correspond, dit Stefan Lindman. Et le lieu. Mais que s'est-il passé ? Voilà la question.

– Le fichier, dit Wallander. Il faut essayer d'obtenir tous les renseignements possibles concernant ces deux-là. Une machine à remonter le temps nous serait utile.

– Nyberg en a peut-être une, dit Stefan.

Wallander et Martinsson rirent en même temps. Wallander se leva et alla à la fenêtre. Martinsson riait toujours. Stefan Lindman éternua.

– On se concentre là-dessus pendant quelques jours, résuma Wallander en revenant. On n'abandonne pas nos autres pistes, mais on les laisse en friche. Quelque chose me dit que celle-ci est la bonne. Les points de concordance sont trop nombreux pour être le résultat du hasard.

– Les gens interviewés dans le journal ne disent aucun mal d'eux, fit remarquer Martinsson. Mais entre les lignes, on comprend bien qu'ils ne s'inquiètent pas trop de ce qui a pu leur arriver. C'est le mystère en soi qui leur plaît. Parfois on a l'impression que ce qui leur fait vraiment pitié, c'est ce cheval qui continue à tirer une carriole vide. Imaginez qu'au lieu de *tattare*, ç'ait été un couple de fermiers scaniens qui avait disparu. La couverture médiatique aurait-elle été la même ?

– Tu as raison. Mais pour l'heure, on ne sait rien d'eux, et si ça se trouve, c'étaient de sombres individus. J'appelle la procureure pour la tenir au courant, et on s'y met.

Ils se répartirent les tâches. Objectif : approfondir ce qu'ils savaient concernant Richard et Irina

Pettersson, disparus depuis près de soixante ans. Wallander retourna dans son bureau passer son appel à la procureure. Il lui fit son rapport, obtint son feu vert et relut ensuite, lentement, les extraits d'archives du journal.

Son sentiment intuitif était toujours aussi fort. Il pensait vraiment qu'ils tenaient la bonne piste.

19

Ils travaillèrent dur jusqu'au 2 décembre. La météo continuait à être mauvaise en Scanie. Du vent et de la pluie, en continu. Wallander passait le plus clair de son temps au téléphone et devant son ordinateur, qu'il avait appris à maîtriser tant bien que mal au fil des ans. Ce matin-là, il venait de retrouver la trace d'un témoin de premier choix : une petite-fille de Richard et d'Irina Pettersson. Elle s'appelait Katja Blomberg et habitait Malmö. Quand il composa le numéro, ce fut un homme qui répondit. Katja Blomberg n'était pas là, mais Wallander laissa son numéro en précisant que c'était urgent. Il ne dit rien de l'objet de son appel.

Il attendait encore lorsqu'il reçut un coup de fil de la réception.

– Tu as de la visite, dit une standardiste dont il ne reconnut pas la voix.

– Qui est-ce ?

– Elle dit s'appeler Katja Blomberg.

Wallander retint son souffle.

– J'arrive.

Il se hâta vers le hall d'accueil. Katja Blomberg paraissait avoir une quarantaine d'années. Maquillage appuyé, jupe courte et bottes à talons hauts. Quelques agents de circulation qui passaient par là jetèrent à Wallander un regard d'encouragement. Il la salua. Elle avait une poignée de main solide.

– J'ai pensé que j'aurais aussi vite fait de venir moi-même.

– C'est très aimable à toi.

– Bien sûr. J'aurais pu m'en foutre, n'est-ce pas. Qu'est-ce que tu me veux ?

Wallander la précéda jusqu'à son bureau. En chemin, il jeta un coup d'œil par la porte de Martinsson. Personne, comme d'habitude. Elle s'assit dans le fauteuil des visiteurs et sortit un paquet de cigarettes.

– Je préférerais que tu t'abstiennes de fumer, dit Wallander.

– Tu veux me parler, oui ou non ?

– Oui.

– Alors je fume.

Wallander pensa qu'il n'avait pas la force d'engager une discussion là-dessus. D'ailleurs, la fumée ne le gênait pas tant que ça. Il se leva, à la recherche d'un objet qui pourrait tenir lieu de cendrier.

– Pas la peine, dit-elle. J'en ai un avec moi.

Elle posa sur le bord de la table un petit récipient en métal et alluma une cigarette.

– Ce n'était pas moi, dit-elle.

Wallander fronça les sourcils.

– Pardon ?

– Tu m'as bien entendu.

104

L'attention de Wallander s'aiguisa. Il comprit qu'elle parlait de quelque chose dont elle le croyait averti.

– C'était qui, dans ce cas ?

– Je ne sais pas.

Wallander attira à lui un bloc-notes et un crayon.

– Commençons par les formalités...

– 62 02 02 04 45[1].

Bon. Ce n'était pas la première fois que Katja Blomberg se trouvait face à un policier. Il poursuivit, nota ses nom, prénom et adresse et s'excusa ensuite. Martinsson n'était toujours pas dans son bureau, mais il réussit à mettre la main sur Stefan Lindman et lui transmit les renseignements que venait de lui fournir Katja Blomberg.

– Trouve-moi ce qu'on a sur elle.

– Maintenant ?

– Maintenant.

Il s'expliqua en peu de mots. Stefan Lindman comprit et Wallander retourna dans son bureau. La fumée formait déjà un nuage compact. Elle fumait des cigarettes sans filtre. Wallander entrebâilla la fenêtre.

– Ce n'était pas moi, redit-elle.

– On en parlera après. Dans l'immédiat, je veux t'interroger sur autre chose.

Il la vit se raidir.

– Quoi ?

1. Le «personnummer» est le numéro personnel d'identification qui suit chaque Suédois du début à la fin de sa vie et qui lui est demandé dans les situations les plus variées.

– Tes grands-parents maternels. Richard et Irina Pettersson.

– En quoi est-ce que ça les concerne, merde ?

Elle éteignit sa cigarette et en alluma une autre à la suite. Il nota qu'elle se servait d'un briquet coûteux.

– J'ai besoin d'en savoir plus sur leur disparition. Tu es née vingt ans après, je sais. Mais tu as dû en entendre parler.

Elle le dévisagea comme s'il n'était pas tout à fait sain d'esprit.

– C'est pour me parler de ça que tu m'as fait venir ?

– Pas uniquement.

– Mais ça fait un siècle !

– Non. Soixante ans. Un peu moins, même.

Elle le regarda droit dans les yeux.

– Je veux un café.

– Pas de problème. Lait ? Sucre ?

– Pas de lait. Crème et sucre.

– On n'a pas de crème. Du lait, si tu veux. Et du sucre.

Wallander alla chercher des cafés. La machine marchait mal, il lui fallut dix minutes pour revenir avec les gobelets. Son bureau était vide. Il jura à voix haute. En ressortant dans le couloir, il la vit qui revenait des toilettes.

– Tu croyais que je m'étais enfuie ?

– Tu n'es pas interpellée. Tu ne peux donc pas t'enfuir.

Ils burent leur café. Wallander attendait. De quoi pensait-elle donc qu'il voulait lui parler ?

– Richard et Irina, reprit-il. Peux-tu m'en dire un peu plus sur eux ?

Avant qu'elle ait pu ouvrir la bouche, le téléphone sonna. Il prit l'appel.

– Ça n'a pas été long, fit la voix de Stefan Lindman. Tu veux que je te le dise au téléphone ?

– Vas-y.

– Katja Blomberg a été jugée deux fois pour violences et incarcérée à Hinseberg. Elle a braqué une banque avec un homme auquel elle était mariée pendant quelques années. Elle est actuellement sous surveillance, soupçonnée d'avoir cambriolé, avec des complices, une supérette à Limhamn. Je continue ?

– Pas tout de suite.

– Comment ça se passe ?

– On en parlera après.

Wallander raccrocha et observa Katja Blomberg qui examinait ses ongles vernis – un rouge différent pour chaque ongle.

– Tes grands-parents, reprit-il. Quelqu'un a dû t'en parler. Ta mère, peut-être ?

– Elle est morte il y a vingt ans.

– Ton père ?

Elle leva la tête.

– La dernière fois que j'en ai entendu parler, j'avais six ou sept ans et il était en taule pour escroquerie. Je n'ai jamais pris contact avec lui. Ni lui avec moi. Je ne sais pas s'il est encore en vie. En ce qui me concerne, il pourrait tout aussi bien être mort. Si tu vois ce que je veux dire.

– Je comprends.

– Vraiment ?

– Tout ira beaucoup plus vite si tu me laisses le soin de poser les questions. Ta mère a dû te parler de ses parents ?

– Bah, il n'y avait pas grand-chose à dire.

– Ils avaient pourtant disparu. C'est important, non ?

– Mais bon sang, ils sont revenus !

Wallander écarquilla les yeux.

– Qu'est-ce que tu veux dire ?

– À ton avis ?

– Je veux savoir !

– Ils ont quitté la roulotte en pleine nuit en emportant ce qu'ils avaient de plus précieux, et ils ont disparu. Je crois qu'ils ont vécu dans une ferme du Småland pendant quelques années. Après, une fois que le calme est revenu, ils ont changé de nom et de coiffure et ils ont réapparu. Personne ne s'est plus intéressé aux vols.

– Quels vols ?

– Tu ne sais vraiment rien, ou quoi ?

– C'est pour m'expliquer tout ça que tu es ici.

– Ils s'étaient introduits chez un fermier du coin. Mais après, ils ont pris peur. Ils ont ramassé ce qu'ils pouvaient emporter avec eux et ils ont fait semblant de disparaître. Se sont fait oublier, en somme. Je crois que Richard s'est fait appeler Arvid par la suite. Irina est devenue « Helena ». Je ne les ai pas vus souvent. Mais je les aimais bien. Mon grand-père est mort vers 1970 et ma grand-mère quelques années plus tard. Ils sont enterrés dans le cimetière de Hässleholm, mais pas sous leur vrai nom.

Wallander garda le silence. Il ne doutait pas un instant de la véracité de ce qu'il venait d'entendre.

La roulotte abandonnée en décembre 1944 était une impasse. Une fausse piste, depuis soixante ans.

La déception était cuisante. Mais il se sentait soulagé de ne pas avoir gaspillé trop d'énergie pour rien.

– Pourquoi tu veux savoir tout ça ?

– Une vieille histoire. Les restes de deux corps retrouvés dans un jardin à Löderup, tu en as peut-être entendu parler par les journaux ? Le cambriolage de Limhamn, je le laisse pour l'instant aux collègues de Malmö.

– Ce n'était pas moi.

– J'ai entendu.

– Je peux y aller maintenant ?

– Oui.

Il la raccompagna jusqu'à la réception.

– Je les aimais bien, redit-elle au moment de le quitter. Arvid et Helena, les deux. Ils étaient curieux. Farouches. Mais ouverts, à leur façon. Si j'avais pu, j'aurais bien aimé passer plus de temps avec eux.

Wallander la suivit du regard pendant qu'elle s'éloignait sur ses talons hauts. Quelqu'un qu'il ne reverrait jamais de sa vie… Mais qu'il n'oublierait pas tout à fait pour autant.

Peu avant midi, il s'entretint brièvement avec Martinsson et Stefan Lindman et leur expliqua que leur piste n° 1 n'était plus d'actualité. Il n'y avait qu'à tirer un trait et continuer. Puis il informa la procureure.

Ensuite il s'accorda un après-midi de congé. Il s'acheta une chemise neuve dans un magasin de la place centrale, mangea une pizza dans un restaurant voisin et rentra chez lui.

Quand Linda ouvrit la porte de l'appartement de Mariagatan ce soir-là, il dormait déjà.

20

Le lendemain s'annonçait comme une journée
de décembre lumineuse et sans vent. Wallander se
leva tôt et partit faire une longue balade au bord de
la mer avant de se décider à redevenir policier en
franchissant le seuil du commissariat sur le coup des
huit heures. Ils allaient devoir faire machine arrière
et reprendre l'enquête là où ils l'avaient laissée au
moment où avait surgi la piste de Simon Larsson.

Avant de se mettre au travail, il avait cependant
un coup de fil à passer. Il chercha le numéro. De
longues sonneries s'égrenèrent avant qu'on ne
décroche.

– Larsson.

– C'est Wallander. Merci pour la dernière fois.

– Merci à toi d'être passé me voir.

– Je voulais juste te dire que nous avons suivi la
piste que tu nous avais indiquée. Il y avait une explication naturelle. Si tu veux, je peux te la raconter.

– Bien sûr, oui, ça m'intéresse.

Wallander résuma les faits. Simon Larsson écouta
en silence.

– Au moins, maintenant, je sais ce qui s'est passé, dit-il ensuite. Même si je regrette que cela vous ait donné du travail inutile…

– Rien n'est inutile, répondit Wallander. Tu sais ce que c'est. Souvent il est aussi important de pouvoir éliminer une piste que d'en découvrir une.

– Peut-être. Je suis si vieux à présent que je ne me souviens de rien.

– Ta mémoire est parfaite. Tu en as fait la preuve.

Wallander sentit que Simon Larsson avait envie de prolonger la conversation. Ils n'avaient plus grand-chose à se dire, mais il se cramponnait au téléphone. Wallander pensa à la femme qu'il avait entraperçue sur le lit dans la pièce voisine.

Il réussit enfin à raccrocher en se demandant comment ce serait de vieillir. De devenir vieux, dépendant du moindre échange, même le plus insignifiant… Comment le supporterait-il ?

À neuf heures, Martinsson, Stefan et lui étaient de nouveau enfermés dans la salle de réunion.

– Il faut tout reprendre, dit Wallander. La solution se trouve là quelque part, même si nous ne la voyons pas pour l'instant.

– Je suis de ton avis, dit Martinsson. La Suède est un petit pays, mais avec un très bon contrôle de ses habitants. C'était déjà le cas il y a soixante ans. Quand est-ce qu'on a inventé le code à dix chiffres qui nous suit du berceau à la tombe ? Il me semble que c'est au lendemain de la guerre, justement. Bref, ces gens-là ont dû manquer à quelqu'un. Qui a dû poser des questions, parler, signaler la chose d'une manière ou d'une autre.

Wallander fut frappé par une pensée soudaine.

– Tu as raison. Deux disparus, âgés d'une cinquantaine d'années… Mais imaginons un instant le contraire. Qu'ils n'ont manqué à personne. Que personne n'a cherché à savoir ce qui leur était arrivé. Ce serait, dans ce cas, significatif en soi.

– Ils ne manquent à personne dans la mesure où personne ne sait qu'ils ont disparu ? C'est ce que tu veux dire ?

– Peut-être. Ou alors ils ont effectivement manqué à quelqu'un. Mais pas ici.

– Je ne suis pas certain de te suivre.

Stefan Lindman s'éclaircit la voix.

– Tu penses à la Seconde Guerre mondiale, c'est ça ? On en a déjà parlé. La Scanie était une région frontalière entourée de pays en conflit. Des bombardiers allemands et britanniques atterrissaient en urgence dans nos champs, les réfugiés affluaient de partout.

– Quelque chose de cet ordre, dit Wallander. Je ne veux pas que nous tombions dans le piège de conclusions hâtives et trop restrictives, je veux juste que nous gardions une vision large. Il y a beaucoup d'explications en dehors de celles qui sont cautionnées par notre expérience. Il peut exister une solution à laquelle nous n'avons pas vraiment pensé encore. C'est tout.

– Il n'était pas tout à fait rare à l'époque que des gens arrondissent leurs fins de mois en louant des chambres à des réfugiés.

– Qui payait, dans ce cas ?

– Les réfugiés fonctionnaient en réseaux. Ceux qui avaient de l'argent aidaient ceux qui n'en avaient pas. Les fermiers touchaient un revenu complémentaire. Exempté d'impôt.

Martinsson ramassa un dossier sur la table.

– Nous avons reçu le rapport complémentaire de Stina Hurlén, dit-il. Rien de ce qu'elle écrit ne modifie sur le fond ce que nous savions déjà. Mais elle constate que les dents de la femme étaient en mauvais état, contrairement à celles de l'homme, qui étaient parfaites.

– Crois-tu qu'il existe des archives de dentiste aussi anciennes ?

– Ce n'est pas à ça que je pensais. Stina Hurlén non plus, à mon avis. C'était juste un constat. L'un des crânes présente de nombreux plombages, l'autre aucun. Ça aussi, ça raconte quelque chose, même si nous ne savons pas quoi.

Wallander nota l'information sur un bout de papier.

– Autre chose ?

– Rien de significatif. L'homme présentait une fracture du bras. Bras gauche. Ça peut être important si on arrive à les identifier.

– *Quand* on les aura identifiés, corrigea Wallander. N'empêche que ça vaut le coup de nous renseigner sur les archives des dentistes du coin.

Ils parcoururent une fois de plus le dossier de l'enquête. Il restait encore beaucoup d'éléments à examiner. Ils se séparèrent à l'heure du déjeuner, après avoir établi un planning pour les jours à venir.

Martinsson retint Wallander un instant après le départ de Stefan Lindman.

– La maison, dit-il. Qu'est-ce qu'on fait ?

– Elle ne m'attire plus tellement, dans la situation actuelle. Je pense que tu peux le comprendre.

– Bien sûr. Mais je me disais qu'on pourrait te laisser un peu plus de temps. Ma femme est d'accord. Si ça se trouve, tu la verras d'un autre œil quand nous aurons, avec un peu de chance, trouvé la réponse et identifié nos deux squelettes.

Wallander secoua la tête.

– Je pense que vous devriez chercher un autre acheteur, dit-il. Je ne supporterai pas de vivre dans un lieu associé à un meurtre. Le fait de résoudre cette affaire n'y changera rien.

– Tu en es sûr ?

– Absolument certain.

Martinsson parut déçu. Mais il ne fit pas de commentaire. Après son départ, Wallander ouvrit une bouteille d'eau minérale, se rassit et posa les pieds sur la table.

Il avait failli avoir une maison. Cette maison avait soudain été remplacée par deux morts enterrés depuis soixante ans.

Il se prit à désirer que tout cela ne se soit jamais produit.

Il ne pouvait se rappeler la dernière fois qu'il s'était senti aussi abattu. À quoi cela tenait-il ? Était-ce sa déception qu'il ne réussissait pas à digérer ? Ou bien autre chose ?

21

Bien des années plus tôt, Wallander avait appris que l'une des nombreuses vertus que devait posséder un policier était la patience. Il y avait des jours où il ne se passait rien, où une enquête stagnait de façon désespérante et paraissait enlisée à tout jamais sans qu'on puisse faire quoi que ce soit pour débloquer la situation. Dans ces cas-là, il fallait attendre le moment où il redeviendrait possible d'agir. Les policiers étaient souvent des gens impatients, capables de travailler vite et de déployer beaucoup d'énergie. Le plus dur pour eux était de se maîtriser pour ne pas céder à l'agitation quand il ne se passait rien.

Deux jours s'écoulèrent sans que rien ne bouge, en surface tout au moins. Wallander et ses collègues s'enfonçaient dans les archives comme des animaux creusant des tunnels souterrains. De temps à autre, ils se retrouvaient pour faire le point autour d'un café avant de retourner à leurs tâches respectives.

De l'autre côté des fenêtres du commissariat, la météo restait indécise. Hiver ou pas hiver ? Un jour il faisait froid et il tombait un peu de neige ; le lendemain le thermomètre remontait au-dessus de zéro et des pluies décourageantes en provenance de la Baltique noyaient une fois de plus le paysage.

Il était neuf heures passées de quelques minutes, le 6 décembre, quand le téléphone sonna sur le bureau encombré de Wallander. Il tressaillit et attrapa le combiné. Tout d'abord il ne reconnut pas la voix qui lui parlait. C'était une femme, et elle s'exprimait avec un accent scanien très prononcé.

Puis il réalisa qu'il avait déjà eu affaire à elle : Katja Blomberg.

– J'ai réfléchi, dit-elle. En fait, je n'ai pas arrêté d'y penser depuis la fois où on s'est vus. J'ai lu les articles sur les deux disparus. Et tout à coup, j'ai pensé à un truc. La caisse en bois au grenier.

– Je ne suis pas tout à fait certain de te suivre.

– Tout ce que j'ai hérité de mes grands-parents est conservé dans une caisse qui traîne au grenier depuis leur mort. Le nom de Ludvig Hansson me disait quelque chose. C'était lui, le fermier qu'ils avaient cambriolé. Alors je suis montée au grenier et j'ai regardé à l'intérieur. Ça fait des années que je ne l'avais pas ouverte. Il y a quelques cahiers. Des agendas, plutôt, je ne sais pas. Ils appartenaient à Ludvig Hansson. J'ai pensé que tu devrais peut-être y jeter un coup d'œil.

– Quel genre d'agendas ?

– Il notait par exemple à quel moment il semait, à quel moment il moissonnait, etc. Il notait le prix des choses. Mais aussi quelques autres trucs.

– Quoi par exemple ?

– La famille, les amis, les visites.

Wallander était soudain très intéressé.

117

– Et ces agendas datent de la guerre ?

– Oui.

– J'aimerais bien les voir. Tout de suite.

– J'arrive.

Une heure plus tard, Katja Blomberg était de nouveau installée dans le fauteuil des visiteurs, une cigarette entre les doigts. Sur la table, elle avait déposé une vieille caisse.

À l'intérieur, Wallander aperçut effectivement quelques agendas reliés de cuir noir. Les années étaient imprimées en chiffres d'or sur la couverture. Sur la première page, Ludvig Hansson avait écrit son nom. Il y en avait quatre en tout. 1941, 1942, 1943, 1944. Et aussi beaucoup de vieilles factures. Wallander chaussa ses lunettes et se mit à feuilleter les agendas. Il commença par celui de 1941. Rien de passionnant, de prime abord : des informations relatives aux semailles et aux moissons, une note sur une batteuse qui était tombée en panne, une autre sur un cheval qui était mort le 12 septembre « de façon inexplicable ». Un certain jour, on tuait le cochon ; il était aussi beaucoup question de vaches. De chiffres et de mesures, vente de lait, vente d'œufs, etc. Par endroits, Ludvig Hansson notait des températures extrêmes. Pendant une semaine, au mois de décembre 1943, il y avait eu « un froid venu de l'enfer » ; en revanche le mois de juillet 1942 avait été « beaucoup trop sec pour que la récolte soit bonne ».

Wallander lisait. On fêtait l'anniversaire de personnes inconnues. Parfois Ludvig Hansson assistait à des funérailles, qui étaient soit « douloureuses », soit « trop longues ». Katja Blomberg continuait pendant ce temps à fumer cigarette sur cigarette.

Wallander était parvenu au dernier agenda, celui de 1944, sans avoir l'impression de s'être beaucoup rapproché de Ludvig Hansson ni d'avoir découvert des détails susceptibles d'éclairer la présence des squelettes dans le jardin.

Soudain il se figea.

Le 12 mai 1944, Ludvig Hansson notait que les « Estoniens » étaient arrivés. Trois individus, le père, la mère et le fils. Kaarin, Elmo et Ivar Pihlak. Il signalait le règlement d'un « acompte ».

Wallander fronça les sourcils. Qui étaient ces Estoniens ? Quel était cet acompte qui avait été réglé ? Il tourna les pages. Le 14 août, nouvelle annotation sur les « paiements » qui sont redevenus « réguliers ». Les Estoniens sont « aimables » et « ne causent pas de problème ». « Bonne affaire », note-t-il encore.

De quoi s'agissait-il ? Il continua de feuilleter. Le 21 novembre, nouvelle annotation, la dernière.

« Les Estoniens sont repartis. Ménage mal fait. »

Wallander se leva pour examiner le reste du contenu de la caisse – un certain nombre de feuilles volantes – sans leur manifester un intérêt particulier.

– J'ai besoin de conserver ces agendas, dit-il. Mais tu peux emporter la caisse.

– Tu as trouvé quelque chose ?

– Peut-être. Une famille estonienne aurait apparemment vécu à la ferme vers la fin de la guerre, en 1944. Entre le 12 mai et la fin novembre.

Wallander la raccompagna jusqu'à la réception. Les agendas étaient restés sur sa table. Se pouvait-il qu'ils recèlent la solution ? Une famille estonienne hébergée à la ferme en 1944... Mais il était bien écrit dans le carnet qu'ils étaient «repartis». Ludvig Hansson aurait-il utilisé ce verbe s'il les avait tués ?

Martinsson s'apprêtait à aller déjeuner quand Wallander entra dans son bureau. Il avait déjà enfilé sa veste.

– Rassieds-toi, dit Wallander. Tu déjeuneras plus tard.

Il sortit et trouva Stefan Lindman plongé dans l'un des innombrables fichiers d'archives dont il avait la responsabilité. Tous trois s'installèrent dans le bureau de Martinsson. Wallander résuma sa découverte pendant que les autres feuilletaient les agendas.

Quand il se tut, Martinsson fit une moue dubitative.

– Ça ne me paraît pas très crédible.

– C'est notre première piste concrète depuis le cheval et la roulotte.

– Trois personnes. Une famille entière. Nous avons retrouvé deux squelettes. Nyberg est certain qu'il n'y en a pas d'autre.

– Le troisième peut être enterré ailleurs.

– Si on suppose qu'ils étaient là illégalement, ça ne va pas être facile de les pister.

– Nous avons trois noms. Kaarin, Elmo et Ivar Pihlak. Moi, en tout cas, j'ai l'intention d'explorer cette piste.

Martinsson se leva.

– Bon, moi, je vais déjeuner. À ta place, je commencerais par les registres de l'état civil. Même s'il n'est pas très probable qu'ils y soient inscrits.

– Oui, on peut difficilement commencer ailleurs. On va bien voir…

Il quitta le commissariat en pensant qu'il devrait aller manger un morceau. Mais à ce compte-là, il y avait tant de choses qu'il devait faire. Par quel bout les prendre ?

Il eut de nouveau un instant d'abattement, alors qu'il était déjà au volant, la clé sur le contact. Il se secoua, tourna la clé et se mit en route pour tenter de retrouver la trace de la famille estonienne.

22

L'employée de l'état civil l'écoutait patiemment, assise derrière son guichet. Mais quand Wallander eut fini son exposé, elle fit la moue.

– Ça ne va pas être facile, dit-elle. On a déjà eu la visite de personnes qui recherchaient la trace de citoyens de pays Baltes ayant séjourné en Scanie pendant la guerre. J'avoue que tu es le premier de la police ; les autres étaient plutôt de la famille. Quoi qu'il en soit, on les retrouve très rarement.

– Pourquoi ?

– Sans doute parce qu'ils ne donnaient pas leur vrai nom. Beaucoup d'entre eux n'avaient pas le moindre papier d'identité en arrivant. Mais la principale raison, bien sûr, c'est qu'il s'est passé tant de choses dans les pays Baltes, pendant la guerre et après…

– As-tu une idée du nombre de ces réfugiés qui ne se sont jamais fait enregistrer officiellement en Suède ?

– Un universitaire de Lund a écrit une thèse là-dessus il y a quelques années. D'après ses recherches, environ soixante-quinze pour cent d'entre eux se sont fait enregistrer.

Elle se leva et disparut. Wallander s'assit et se mit à regarder par la fenêtre. Il réfléchissait déjà à l'étape suivante. Il ne s'attendait pas vraiment à ce que cette piste donne un résultat. Un court instant, il fut tenté de se lever et de partir. Sortir de ce bureau, prendre sa voiture, quitter la Scanie et ne jamais revenir. Mais il était trop tard dans sa vie pour les grandes ruptures. Il le savait. Au mieux, il trouverait un jour « sa » maison et il achèterait un chien. Et peut-être rencontrerait-il une femme susceptible de devenir la compagne dont il avait tant besoin. Linda avait raison. Il était en train de devenir vieux. Un vieux bien sec, bien morne, bien acariâtre.

Il repoussa ces pensées. Elles l'exaspéraient. Puis il cala sa chaise contre le mur et s'endormit.

Il fut réveillé par une voix qui l'appelait par son nom. Quand il ouvrit les yeux, la femme se tenait debout devant lui.

– La preuve est faite que je suis vraiment trop pessimiste, dit-elle. Je crois avoir trouvé ce que tu cherchais.

Wallander bondit de sa chaise.

– C'est vrai ?!

– On dirait bien que oui.

La femme se rassit derrière son guichet et se mit à lire à voix haute. Wallander nota qu'elle aurait eu intérêt à mettre des lunettes.

– Kaarin, Elmo et Ivar Pihlak sont arrivés en Suède en février 1944. Ils venaient du Danemark à ce moment-là. Au début, ils ont vécu à Malmö. Puis

123

ils ont été hébergés chez un certain Ludvig Hansson, où leur présence a été enregistrée par le bureau de l'état civil. En novembre de la même année, ils ont sollicité l'autorisation d'émigrer au Danemark, et ils ont quitté le pays. C'est noté sur cette fiche.

Elle la lui montra. Wallander ne vit qu'une série d'abréviations.

– Comment sais-tu que c'est cela qui est indiqué ?

– Les abréviations que tu vois là étaient utilisées pendant la guerre, pour les réfugiés. C'est le fils qui a fait la déclaration de sortie du territoire.

Wallander sentait la confusion le gagner.

– Je ne te suis pas tout à fait. Quel fils ?

– Ivar. C'est lui qui a signalé que ses parents ont quitté le pays en novembre 1944.

– Et lui, alors ? Qu'a-t-il fait ?

– Il est resté en Suède. Il a obtenu une carte de résident. Par la suite, il est devenu citoyen suédois. En 1954, regarde. C'est écrit ici.

Wallander retenait son souffle tout en essayant de réfléchir. Trois Estoniens arrivent en Suède en 1944. Le père, la mère, le fils. En novembre de la même année, les parents retournent au Danemark tandis que le fils reste en Suède. C'est lui qui déclare que ses parents ont quitté le pays.

– J'imagine que tu ne peux pas me dire si ce fils est encore en vie et, si oui, quelle serait éventuellement son adresse ?

– Aucun problème. Il est enregistré depuis des années à Ystad. L'adresse indiquée est Ekudden. C'est une maison de retraite, du côté de l'ancienne prison.

Wallander connaissait l'endroit.

– Il est donc en vie ?

– Oui. Il vit toujours. Il a quatre-vingt-six ans.

Wallander resta un instant comme suspendu, le regard dans le vague. Puis il hocha la tête et quitta le bureau.

23

Wallander s'arrêta au kiosque près d'une station-service à l'entrée d'Ystad et commanda une saucisse. Il hésitait encore quant à l'impact possible, sur l'enquête en cours, des informations qu'il venait d'obtenir. À supposer qu'elles en aient un.

Il but un café dans un gobelet en plastique avant de reprendre la route.

Ekudden se trouvait juste avant l'embranchement vers Trelleborg. C'était une grande bâtisse ancienne entourée d'un jardin, avec vue sur la mer et sur l'entrée du port d'Ystad. Wallander gara sa voiture et franchit le portail. Quelques vieux jouaient aux boules dans une allée. Il pénétra dans le bâtiment principal en adressant un signe de tête aimable à deux dames qui tricotaient sur des chaises et frappa à une porte avec l'inscription « accueil ». Une femme d'une trentaine d'années lui ouvrit et prit aussitôt un air interrogateur.

– Je m'appelle Wallander, dit-il. Je suis de la police d'Ystad.

– Ah, mais oui, je connais ta fille ! répondit gaiement la femme. On était à l'école ensemble, ça fait longtemps maintenant. Un jour je suis venue chez vous à Mariagatan. Je me souviens que j'ai eu très peur en te voyant.

– Peur de moi ?

– Mais oui. Tu étais tellement grand.

– Ah. Je ne pense pourtant pas être grand… Sais-tu que Linda est revenue à Ystad ?

– Oui, je l'ai croisée dans la rue. Je sais qu'elle est dans la police comme toi maintenant.

– Elle aussi, tu trouves qu'elle a l'air dangereuse ?

La jeune femme éclata de rire. Le badge fixé à son chemisier indiquait qu'elle s'appelait Pia.

– J'ai une question, reprit Wallander. J'ai appris qu'un certain Ivar Pihlak vivait ici.

– Oui, oui, Ivar est chez nous, pas de doute. Sa chambre est au deuxième, au bout du couloir à droite.

– Il est là ?

Pia le dévisagea, surprise.

– C'est rare que nos vieux ne soient pas là.

– Sais-tu s'il a de la famille ?

– Il n'a jamais reçu la moindre visite. Je ne crois pas qu'il ait de famille. Ses parents vivent en Estonie. Vivaient, plutôt. Il me semble qu'il a dit un jour qu'ils étaient décédés et qu'il n'avait personne d'autre.

– Comment va-t-il ?

– Oh, comme quelqu'un de quatre-vingt-six ans. Il a toute sa tête, mais physiquement il n'a plus la même forme qu'avant. Pourquoi veux-tu le voir ?

– Une affaire de routine.

Pia ne le croyait pas, c'était clair. Ou alors jusqu'à un certain point. Mais elle ne posa pas d'autres questions, l'escorta jusqu'à l'escalier et monta avec lui au deuxième étage.

La porte de la chambre d'Ivar Pihlak était entre-bâillée. Elle frappa quand même.

Assis à une petite table placée sous une fenêtre, un homme aux cheveux blancs faisait une réussite. Il leva la tête et sourit en la reconnaissant.

– Tu as de la visite, dit Pia.

– Quel plaisir, répondit l'homme.

Wallander ne perçut aucune trace d'accent dans sa voix.

– Je vous laisse.

Pia disparut le long du couloir. L'homme s'était levé. Il vint serrer la main de Wallander. Il souriait, ses yeux étaient d'un bleu intense et sa poignée de main solide.

Wallander pensa qu'ils faisaient complètement fausse route. L'homme qu'il avait en face de lui ne lui fournirait pas la solution de l'énigme des deux squelettes.

– Je n'ai pas bien entendu ton nom, dit Ivar Pihlak.

– Je m'appelle Kurt Wallander. Je suis de la police. Pendant la guerre, il y a bien longtemps, tu vivais avec tes parents près de Löderup, dans une ferme appartenant à un homme du nom de Ludvig Hansson. Vous êtes restés un peu plus de six mois à la ferme. Ensuite tes parents sont retournés au Dane-mark, et tu es resté seul en Suède. Est-ce bien cela ?

128

– Il est étrange que quelqu'un vienne jusqu'ici me parler de cela maintenant. Après toutes ces années.

Ivar Pihlak le dévisageait de ses yeux bleus. Comme si les paroles de Wallander l'avaient surpris et réveillaient en même temps chez lui une mélancolie.

– C'est bien cela ? insista Wallander.

– Mes parents sont partis début décembre. La fin de la guerre approchait. Ils avaient des amis là-bas, d'autres Estoniens installés au Danemark. Ils ne se plaisaient pas trop en Suède, je crois.

– Peux-tu me dire ce qui s'est passé ensuite ?

– Oui. Puis-je seulement savoir pourquoi cela t'intéresse ?

Wallander hésita. Il résolut en définitive de ne pas parler des squelettes.

– Rien de grave, dit-il. Que s'est-il passé ensuite ?

– Mes parents sont retournés en Estonie en juin 1945. Chez eux, dans leur maison de Tallinn. Elle avait été en partie détruite, mais ils ont entrepris de la reconstruire.

– Et toi, tu es resté en Suède ?

– Je ne voulais pas retourner là-bas. Je suis resté ici, et je ne l'ai jamais regretté. J'ai pu faire des études, devenir ingénieur.

– Tu n'as pas fondé de famille ?

– Ça ne s'est jamais fait. Il m'arrive de le regretter, bien sûr. Maintenant que je suis vieux.

– Tes parents venaient-ils te rendre visite ?

– C'est surtout moi qui allais les voir. L'Estonie a connu une période difficile après la guerre, comme tu le sais.

– Tes parents sont-ils encore en vie ?

– Non. Ma mère est décédée en 1965, et mon père au début des années 1980.

– Qu'est-il arrivé à leur maison ?

– Une tante paternelle s'est occupée de tout. Je suis allé là-bas pour les obsèques. J'ai rapporté quelques affaires en Suède, mais je m'en suis séparé au moment d'emménager ici. Il n'y a pas beaucoup de place, comme tu peux le voir.

Wallander n'avait plus de questions. La situation entière était absurde. L'homme aux yeux bleus le regardait sans ciller, tout en parlant de sa voix calme et douce.

– Je ne vais pas te déranger davantage, dit Wallander. Merci et au revoir.

Quand il fut de nouveau dehors, les hommes jouaient toujours aux boules. Il s'arrêta pour les regarder. Il se sentait perturbé sans savoir pourquoi ; sinon que c'était lié à la conversation qu'il venait d'avoir quelques minutes plus tôt avec le vieil homme.

Puis il comprit. Les réponses d'Ivar Pihlak ressemblaient à des répliques apprises par cœur. Quelle que soit la question, la réponse avait fusé – un peu trop rapide, un peu trop précise…

Je me fais des idées, pensa-t-il. Je vois des fantômes là où il n'y en a pas. Il rentra au commissariat. À la cafétéria, il aperçut Linda qui buvait un café. Il s'installa à sa table. Quelques biscuits aux épices traînaient sur une assiette. Il les dévora.

– Comment ça avance ? demanda Linda.

– Zéro. Ça n'avance pas du tout. On est au point mort.

– Tu rentres dîner ce soir ?

– Je crois.

Elle se leva pour retourner à son travail. Wallander finit son café et alla ensuite dans son bureau.

L'après-midi fut long.

Le téléphone sonna au moment où il s'apprêtait à rentrer chez lui.

24

Il reconnut sa voix avant même qu'elle ait prononcé son nom. C'était Pia, de la maison de retraite. L'ancienne camarade de Linda.

– Je ne savais pas où te joindre, commença-t-elle.

– Que se passe-t-il?

– Ivar n'est plus là.

– Quoi?

– Il a disparu. Il n'est plus là.

Wallander se rassit. Son cœur s'emballait.

– Lentement, dit-il. Raconte-moi les choses dans l'ordre. Que s'est-il passé?

– Il y a une heure, Ivar n'est pas descendu dîner. Je suis montée dans sa chambre. Il n'y avait personne. Sa veste n'était plus là. On l'a cherché dans la maison, dans le jardin, sur la plage. Il n'était nulle part. Puis Myriam est arrivée en disant que sa voiture avait disparu.

– Qui est Myriam?

– Une collègue. Elle pensait qu'Ivar l'avait peut-être prise.

– Pourquoi Ivar aurait-il pris la voiture de Myriam?

– Elle n'a pas l'habitude de la fermer à clé. Et Ivar parle souvent de son amour pour les automobiles. Il raconte qu'il adorait conduire, dans le temps.

– C'est quoi, comme marque ?

– Une Fiat bleu nuit.

Wallander nota les détails du véhicule. Puis il réfléchit.

– Tu es absolument certaine qu'il n'est pas dans le bâtiment, ni dans le jardin ?

– Nous avons cherché partout.

– Pourquoi est-il parti, d'après toi ?

– Je croyais que tu me le dirais.

– Je sais peut-être où il est. Sans certitude. Si je le retrouve, je te rappelle d'ici une heure. Sinon, on ouvrira une enquête et on décidera de la meilleure façon d'organiser les recherches.

Wallander raccrocha. Il resta quelques instants immobile. Avait-il raison ? L'inquiétude qu'il avait ressentie un peu plus tôt était-elle justifiée ?

Il se leva. Dix-sept heures trente-cinq. Dehors il faisait déjà nuit. Le vent s'était levé et soufflait par bourrasques.

25

Wallander était encore loin quand il vit qu'une fenêtre était éclairée. Ses derniers doutes s'évanouirent. Il avait deviné juste. Ivar Pihlak était retourné à la maison où il avait vécu autrefois avec ses parents.

Il freina au bord de la route et coupa le moteur. En dehors de la faible lumière émanant de la fenêtre, tout était plongé dans le noir. Il sortit la lampe torche qu'il conservait sous le siège du conducteur et se mit en marche. Le vent lui cinglait le visage. En approchant, il vit que deux lampes étaient allumées dans le séjour. Un carreau de la fenêtre de la cuisine était brisé ; les crochets qui la maintenaient fermée avaient été soulevés. Ivar Pihlak avait traîné une chaise de jardin jusqu'au mur. Elle était encore là, sous la fenêtre. Wallander s'approcha de biais et jeta un regard prudent à l'intérieur. Il n'apercevait Ivar Pihlak nulle part. Il résolut de passer par le même chemin que lui. Il ne pensait pas avoir de raisons de s'inquiéter. C'était un vieil homme qui se cachait dans la maison. Un vieil homme qui venait d'être rattrapé par son histoire.

Wallander enjamba péniblement le rebord de la fenêtre. Une fois dans la cuisine, il se figea et prêta l'oreille. Il regrettait d'être venu seul. En cherchant son portable dans sa veste, il se souvint qu'il l'avait laissé sur le siège du passager pendant qu'il attrapait la lampe torche. Il fallait prendre une décision. Rester là ou repartir par le même chemin et appeler Martinsson ? Il opta pour le second choix, enjamba de nouveau le rebord de la fenêtre et s'éloigna rapidement vers sa voiture.

Était-ce une réaction instinctive ou bien avait-il entendu du bruit ? Après coup, il n'aurait su le dire, mais un objet lourd s'abattit sur sa nuque avant qu'il ait pu faire volte-face. Le temps qu'il s'effondre, tout était devenu noir.

À son réveil il se trouvait dans un fauteuil. Son pantalon et ses chaussures étaient couverts de boue. La douleur lui faisait une pulsation sourde à l'arrière du crâne.

Devant lui se tenait Ivar Pihlak. Debout, fermement planté sur ses jambes, une arme à la main. Un ancien pistolet de l'armée allemande, crut voir Wallander. Les yeux du vieil homme étaient toujours aussi bleus. Mais son sourire avait disparu. Il paraissait juste fatigué. Fatigué, usé, à bout.

Wallander réfléchit. Ivar Pihlak l'avait guetté dehors, dans le noir, et l'avait assommé avant de le traîner à l'intérieur ; il était de toute évidence beaucoup plus costaud qu'il n'en avait l'air. Il jeta un regard à sa montre : dix-huit heures trente. Il était donc resté évanoui très peu de temps. Il tenta d'évaluer la situation. L'homme avait beau avoir quatre-vingt-six ans, l'arme qu'il braquait dans sa direction était dangereuse. Il ne fallait pas sous-estimer Ivar Pihlak. Il l'avait assommé, et il n'avait pas hésité auparavant à voler une voiture pour se rendre ici.

Wallander sentit la peur l'envahir. Parle calmement, s'ordonna-t-il. Parle bas, écoute-le. Pas d'accusations. Juste parler et écouter, c'est tout. Très calmement.

– Pourquoi es-tu venu ? demanda Ivar Pihlak.

Sa voix était triste, identique à celle que Wallander avait perçue à Ekudden. Mais elle contenait aussi une tension palpable.

– Pourquoi je suis venu ici ? Ou pourquoi je suis venu à Ekudden ?

– Pourquoi es-tu venu ? Je suis un vieil homme, je serai bientôt mort. Je ne veux pas être inquiété. J'ai été inquiet toute ma vie.

– Je voulais juste comprendre ce qui s'était passé, dit Wallander lentement. Il y a quelques semaines, je suis venu dans cette maison pour la visiter, et peut-être même l'acheter. C'est alors que je suis tombé par hasard sur un bout de squelette dans le jardin. Le squelette d'une main…

– C'est faux !

La voix d'Ivar Pihlak avait déraillé dans les aigus. Wallander retint son souffle.

– Vous avez toujours été après moi ! criait Pihlak avec une agitation croissante. Ça fait cinquante ans que vous me pourchassez ! Pourquoi ne me laissez-vous pas en paix ? Il reste juste l'épilogue, que je meure. Pourquoi ne me laissez-vous pas mourir en paix ?

– C'était une pure coïncidence. On a voulu savoir à qui appartenait cette main.

– Ce n'est pas vrai ! Vous voulez me mettre en prison. Vous voulez que je meure enfermé dans une cellule.

– Au bout de vingt-cinq ans, tous les crimes sont prescrits. Quoi que tu dises, il n'arrivera rien.

Ivar Pihlak attira une chaise et s'assit. Le pistolet était braqué sur Wallander en permanence.

– Je te promets de ne pas bouger, dit Wallander. Ligote-moi si tu veux, mais baisse ce pistolet.

Ivar Pihlak ne répondit pas. Il tenait toujours l'arme fermement pointée vers sa tête. Il y eut un silence.

– Pendant toutes ces années, dit Pihlak lentement. Pendant toutes ces années, j'avais peur que vous me retrouviez…

– Et tu n'es jamais revenu ? De toutes ces années ? Dans cette maison ?

– Jamais.

– Vraiment ?

– Pas une seule fois. J'ai passé mon diplôme d'ingénieur à l'école polytechnique de Göteborg. Ensuite j'ai travaillé dans l'industrie mécanique à Örnsköldsvik jusqu'au milieu des années 1960. Je suis retourné à Göteborg et j'ai travaillé quelques années au chantier naval d'Eriksberg. Puis j'ai déménagé à Malmö. Mais je ne suis jamais revenu dans le coin. Jamais. Jusqu'à aujourd'hui, quand tu t'es matérialisé à Ekudden…

L'homme s'était mis à parler. C'était le début d'un récit. Wallander l'écoutait tout en essayant imperceptiblement de se déplacer, de manière que l'arme ne soit plus pointée vers son visage. Ivar Pihlak haussa soudain le ton :

– Vous auriez dû me laisser en paix !

– Nous devons identifier ces deux personnes. C'est le travail de la police.

Ivar Pihlak se mit soudain à rire.

– Je ne pensais pas qu'on les trouverait un jour. Pas de mon vivant ! Et puis c'est arrivé. Aujourd'hui tu as débarqué chez moi et tu t'es mis à poser des questions. Dis-moi ce que tu sais.

– Nous avons trouvé deux squelettes. Ceux d'un homme et d'une femme, âgés d'une cinquantaine d'années au moment de leur mort. Ils seraient enterrés là depuis soixante ans environ. Ils ne sont pas morts de mort naturelle. Voilà.

– Ce n'est pas grand-chose.

– Ah si, encore un point. La femme présentait de nombreux plombages dentaires. L'homme, non, aucun.

Ivar Pihlak hocha lentement la tête.

– Il était avare. Pas pour lui. Mais pour les autres.

– Tu parles de ton père ?

– De qui donc veux-tu que je parle ?

– Je pose des questions pour connaître la réponse. C'est tout.

– Il était si terriblement avare… Et méchant avec ça. Il ne l'a pas laissée aller chez le dentiste jusqu'à ce que ses dents pourrissent littéralement dans sa bouche. Il la traitait comme si elle n'avait pas la moindre valeur. Il l'humiliait. Il la réveillait en pleine nuit, l'obligeait à se déshabiller et à rester nue, debout au milieu de la pièce, en répétant qu'elle ne valait rien, encore et encore, jusqu'à l'aube. Elle avait tellement peur de lui que tout son corps se mettait à trembler dès qu'il était dans les parages.

Ivar Pihlak se tut. Wallander attendit. L'arme était toujours braquée sur lui. L'épreuve de force pouvait tirer en longueur. Mais la concentration de l'homme faiblirait tôt ou tard. Il guettait cet instant pour se jeter sur lui et le désarmer.

– Au cours de toutes ces années, je me suis interrogé sur ma mère, reprit Ivar Pihlak. Comment se fait-il qu'elle ne l'ait pas simplement quitté ? Je la méprisais pour cela. En même temps j'avais de la tendresse et de la pitié pour elle. Pour les mêmes raisons. Comment peut-on éprouver des sentiments aussi contradictoires envers quelqu'un ? Je n'ai toujours pas trouvé de réponse valable. Si elle était partie, tout ça ne serait jamais arrivé.

Wallander devinait une grande douleur derrière les paroles d'Ivar Pihlak. Mais il ne savait toujours pas quelle en était la véritable origine.

– Un jour, elle en a eu assez. Elle s'est pendue dans la cuisine. Et alors j'en ai eu assez, moi aussi.

– Tu l'as tué ?

– C'était la nuit. J'ai dû être réveillé par le bruit de la chaise qui se renversait quand elle l'a écartée d'un coup de pied pour se pendre. Mon père, lui, a continué à dormir. Je l'ai frappé à la tête avec un marteau. Les fosses, je les ai creusées la nuit même.

Avant le petit jour, ils étaient enterrés et tout était de nouveau en place.

– Mais quelques groseilliers n'ont pas été replantés au bon endroit.

Ivar Pihlak le dévisagea sans comprendre.

– Ah, dit-il ensuite. C'est comme ça que tu as trouvé.

– Que s'est-il passé après cela ?

– Tout a suivi son cours. J'ai déclaré officiellement qu'ils avaient quitté le pays. Personne ne se souciait de vérifier quoi que ce soit, on était encore en pleine guerre, tout n'était que chaos, gens en fuite, sans identité, sans destination. Et j'ai déménagé. D'abord à Sjöbo puis, après la guerre, à Göteborg. Au cours de mes années d'études, j'ai occupé différentes chambres en sous-location. Je gagnais ma vie en travaillant dans le port. J'avais de la force dans les bras à cette époque.

L'arme était toujours pointée vers lui. Mais l'attention d'Ivar Pihlak était de plus en plus sollicitée par ses souvenirs. Wallander fit pivoter ses pieds, très légèrement, pour avoir un meilleur appui au moment de bondir.

– Mon père était un monstre. Je n'ai jamais regretté mon geste. Mais je n'ai pas échappé au châtiment. Je vois sans cesse son ombre rôder autour de moi. Je vois son visage et j'entends sa voix me dire : « Ne crois pas que tu m'échapperas toujours. »

Ivar Pihlak pleurait, à présent. Wallander hésita, mais comprit que le moment était venu. Il bondit. Il avait toutefois sous-estimé la rapidité du vieil homme, qui esquiva la masse de Wallander et le frappa à la tête avec la crosse de son arme. Le coup n'était pas très puissant, mais suffisant pour lui faire perdre connaissance. Quand il revint à lui, il était à terre et Ivar Pihlak le surplombait de toute sa hauteur.

Le canon du pistolet était une fois de plus pointé vers son visage. Et le vieil homme hurlait :

– Tu aurais dû me laisser tranquille ! Tu aurais dû me laisser mourir avec ma honte et mon secret. Je n'en demandais pas plus, tu comprends ? Et maintenant tu es venu tout gâcher.

Wallander réalisa avec épouvante que l'homme avait franchi une limite. Il était hors de lui, il ne tarderait pas à tirer, toute nouvelle tentative pour le désarmer était vouée à l'échec.

– Je vais te laisser tranquille, dit Wallander. Je comprends ton geste. Je ne dirai rien.

– C'est trop tard. Pourquoi te croirais-je ? Tu as essayé de te jeter sur moi. Tu as cru que tu pourrais m'écraser parce que je suis un vieillard.

– Je ne veux pas mourir.

– Personne ne le veut. Mais tout le monde meurt, à la fin.

Ivar Pihlak se pencha un peu plus. Il tenait l'arme à deux mains. Wallander voulait fermer les yeux mais il n'osa pas. Le visage de Linda passa devant lui, image fugitive, papillotante.

Ivar Pihlak appuya sur la détente. Mais la balle n'atteignit pas Wallander. L'arme avait explosé. Des projectiles de métal lacérèrent le front d'Ivar Pihlak, formant un profond cratère. Le temps qu'il touche le sol, il était mort.

Wallander se redressa péniblement en position assise. Il resta longtemps ainsi, tout à fait immobile. En lui, une joie inouïe. Il était en vie.

Le vieil homme, lui, ne respirait plus. Son arme ne lui avait pas obéi dans ses derniers instants.

Wallander réussit enfin à se lever. Il regagna sa voiture en titubant. Puis il appela Martinsson et lui raconta ce qui venait de se produire.

Il attendit dehors, au milieu de la cour balayée par le vent. Il ne pensait à rien. Il ne désirait rien. Il était en vie : c'était bien assez.

Il attendit quatorze minutes avant d'apercevoir le premier gyrophare.

26

Deux semaines plus tard, quelques jours avant Noël, Linda accompagna son père jusqu'à la ferme de Löderup. Elle avait insisté pour qu'il y fasse une dernière visite. Ensuite il pourrait rendre le trousseau de clés à Martinsson et commencer à chercher sérieusement une autre maison.

C'était une journée claire et froide. Wallander ne parlait pas ; il avait enfoncé son bonnet au ras des sourcils et faisait le tour du jardin avec elle. Linda avait voulu qu'il lui montre à quel endroit Ivar Pihlak était tombé ; à quel endroit lui-même avait cru que la mort était arrivée pour l'emmener. Wallander le lui montra du doigt en marmonnant. Quand Linda commença à poser des questions, il fit non de la tête. Il n'y avait rien à ajouter.

Ils retournèrent ensemble à Ystad et entrèrent dans une pizzeria. Leur commande venait d'arriver quand Wallander se leva brusquement, en proie à une violente nausée. C'était arrivé d'un coup. Il eut juste le temps de se précipiter aux toilettes.

Il revint s'asseoir. Linda le regardait avec de grands yeux.

143

– Tu es malade ?

– Je viens peut-être de comprendre que je suis passé à un cheveu de la mort.

Il vit à son expression que c'était la première fois que cela devenait réel pour elle aussi. Ils ne dirent plus rien pendant un long moment. Leurs pizzas refroidirent. Après coup, Wallander penserait qu'ils n'avaient sans doute jamais été aussi proches.

Le lendemain matin, il arriva au commissariat de bonne heure et frappa à la porte de Martinsson. Personne. Une radio était allumée dans un autre bureau et diffusait des chants de Noël. Il entra et déposa le trousseau de clés bien en vue sur la table.

Puis il quitta le commissariat et se rendit à pied dans le centre-ville. Il neigeait – une neige mêlée de pluie qui fondait en touchant le trottoir, laissant derrière elle une bouillie grisâtre.

Il s'arrêta devant la plus grande agence immobilière de la ville. La vitrine était tapissée de photos de maisons à vendre entre Ystad et Simrishamn.

Wallander se moucha. Il y avait une maison près de Kåseberga qui l'intéressait.

Il entra. Au même instant, toutes ses pensées concernant Ivar Pihlak et l'histoire de celui-ci se transformèrent en un souvenir. Qui reviendrait peut-être le hanter. Mais qui ne resterait qu'un souvenir.

Wallander feuilleta des catalogues et contempla des photographies de différentes maisons.

Celle qu'il avait vue dans la vitrine, et qui se trouvait du côté de Kåseberga, ne l'intéressait plus. Le terrain était trop petit, les voisins trop proches. Il continua de tourner les pages. Il y avait vraiment le choix : maisons diverses, anciennes fermes démembrées… Mais le prix qu'en exigeaient les propriétaires était généralement trop élevé. Il pensa avec ironie qu'un pauvre policier comme lui était peut-être condamné à vivre en appartement.

Mais il n'avait pas l'intention de renoncer. Il dénicherait cette maison, et il s'achèterait un chien. Il se donnait un an pour quitter Mariagatan. Sa décision était prise.

Le lendemain de cette première visite de Wallander à l'agence immobilière, une pellicule de neige recouvrait la ville.

Ce fut un Noël froid. Des vents glacés en provenance de la Baltique balayaient la Scanie.

L'hiver était arrivé de bonne heure.

Wallander et moi

Dans un carton au fond de la cave, je garde un certain nombre de cahiers poussiéreux. Certains sont réellement très vieux, car j'ai commencé à tenir mon journal vers 1965. De façon irrégulière ou régulière, c'est selon. Il y a de tout dans ces cahiers, des tentatives d'aphorismes au rappel de choses urgentes à faire le lendemain. Mes journaux sont pleins de trous. Il s'écoule parfois plusieurs mois sans la moindre annotation. Puis à d'autres périodes j'ai écrit tous les jours.

Ainsi au printemps 1990. Je revenais d'un long séjour ininterrompu en Afrique, où je passais à l'époque la moitié de l'année. À mon retour en Suède, j'ai découvert que des tendances racistes s'étaient développées de façon effrayante dans le pays pendant mon absence. La Suède n'a jamais été épargnée par ce fléau. Mais là, j'ai vu qu'il avait pris des proportions spectaculaires.

Après quelques mois, j'ai résolu d'écrire sur le racisme. J'avais d'autres projets d'écriture, mais celui-ci me semblait plus important.

Primordial.

Quand j'ai commencé à réfléchir au genre de récit que je pourrais imaginer pour traiter ce sujet, la piste de l'intrigue criminelle m'est vite apparue naturelle. Tout simplement parce que, de mon point de vue, les actes racistes sont des actes criminels. Par conséquent j'allais aussi avoir besoin d'un expert du crime. Un enquêteur, un policier.

Un jour de mai 1990, j'ai écrit dans mon journal (que je suis hélas à peu près le seul à pouvoir déchiffrer) : « Journée la plus chaude du printemps. Ai fait un tour dans les champs. Beaucoup d'oiseaux. Le policier que j'ai à décrire doit comprendre à quel point il est difficile d'être bon dans son métier. Le crime change, comme la société. Pour faire son travail, il doit savoir ce qui se passe dans la société où il vit. »

J'habitais alors en Scanie, au beau milieu de ce qu'on pourrait appeler le « Wallanderland », dans une ferme proche du village de Trunnerup. De chez moi je voyais la mer, et un certain nombre de clochers. En revenant de ma promenade, j'ai pris l'annuaire et je l'ai ouvert. J'ai d'abord trouvé le prénom Kurt. Un prénom bref, relativement ordinaire, mais pas trop. Il me fallait ensuite un nom de famille un peu long. Cela m'a pris du temps, et mon choix s'est fixé sur Wallander.

Pareil : ni trop ordinaire, ni trop original.

Voilà donc comment s'appellerait mon policier. Kurt Wallander. Je lui ai donné la même année de naissance que la mienne, 1948. (Certains acharnés du calendrier affirment que cette date ne coïncide pas toujours parfaitement avec certains événements dans mes livres. Je veux bien le croire. Qu'est-ce qui coïncide parfaitement, après tout, dans la vie ?)

Tout ce qu'on écrit relève d'une tradition. Les auteurs qui prétendent être entièrement dégagés de toute tradition littéraire racontent des mensonges. On ne devient pas artiste ex nihilo.

En réfléchissant à la façon d'aborder *Meurtriers sans visage*, j'ai pensé que pour moi la meilleure histoire criminelle, la plus fondamentale, était la tragédie grecque antique. La tradition du polar remonte à plus de deux mille ans. Une pièce telle que *Médée*, qui parle d'une femme qui tue ses enfants parce qu'elle est jalouse de son mari, montre les êtres humains au miroir du crime. Celui-ci rend manifestes les contradictions qui existent entre nous, et en nous ; entre individu et société ; entre réalité et rêve. Parfois ces contradictions débouchent sur des violences. Par exemple des actes racistes. Et ce miroir du crime nous renvoie aux auteurs grecs.

Ceux-ci sont toujours source d'inspiration. La seule différence est qu'il n'existait pas à l'époque de police organisée à l'image de la nôtre. Les conflits étaient résolus différemment. Souvent c'étaient les dieux qui régissaient le destin des hommes. Mais c'est la seule vraie différence, au fond.

Selon le grand auteur dano-norvégien Aksel Sandemose (que je cite librement), « les seuls sujets sur lesquels il vaut la peine d'écrire sont le meurtre et l'amour ». Il a peut-être raison. S'il avait ajouté l'argent, il aurait obtenu la trinité toujours à l'œuvre, d'une manière ou d'une autre, dans la littérature présente, passée et (sans doute aussi) à venir.

J'ai écrit *Meurtriers sans visage* sans m'imaginer qu'il y aurait une suite aux aventures du commissaire Wallander. Mais une fois le livre paru, et récompensé par divers prix, je me suis dit que j'avais peut-être créé un instrument sur lequel il était possible de jouer encore quelques mélodies. De là un deuxième livre, *Les Chiens de Riga*, qui parle des événements survenus en Europe après la chute du mur de Berlin. J'ai pris l'avion jusqu'à Riga ; j'ai souvent pensé que je devrais écrire un livre sur ces semaines passées en Lettonie. C'était une période étrange. La crise entre Russes et Lettons n'avait pas encore explosé. Si je voulais parler à un policier letton, il fallait que je le fasse en grand secret dans une taverne obscure. L'atmosphère m'a été offerte presque sur un plateau, dans ce contexte hermétique où les tensions politiques étaient à leur comble.

Je n'étais toujours pas convaincu de l'avenir d'une éventuelle série basée sur le personnage de Kurt Wallander. Quoi qu'il en soit, le 9 janvier 1993, dans mon petit appartement de Maputo, j'ai décidé d'en écrire un troisième volet, dont le titre serait *La Lionne blanche*, et qui parlerait de la situation en Afrique du Sud. Nelson Mandela était sorti de prison quelques années auparavant. Mais la crainte d'une guerre civile qui précipiterait le pays dans le chaos était encore très forte. Nul besoin de réfléchir longtemps pour comprendre que le pire des scénarios serait le meurtre de Mandela. Dans ce cas, rien ne pourrait arrêter un bain de sang.

J'allais me mettre à la rédaction de ce livre quand je suis brusquement tombé très malade. Cela faisait longtemps que je me traînais à Maputo, fatigué, pâle, insomniaque. J'avais pensé à la malaria, mais les tests ne révélaient la présence d'aucun parasite dans le sang. Jusqu'au jour où j'ai croisé un ami qui s'est exclamé au premier coup d'œil :

– Tu es complètement jaune !

Je ne sais pas comment j'ai été transporté jusqu'à Johannesburg. Là-bas, on m'a diagnostiqué une jaunisse sévère qui avait déjà duré beaucoup trop longtemps.

J'étais donc dans mon lit d'hôpital. La nuit, je réfléchissais à mon histoire. Une fois guéri, quand j'ai pu rentrer à Maputo, elle était prête dans les grandes lignes. Si je me souviens bien, j'ai d'abord écrit la dernière page. C'était là où je voulais en venir !

Le 10 avril de cette année-là, alors que j'avais déjà envoyé le manuscrit à mon éditeur, j'ai eu une confirmation désagréable de mon pressentiment. Le vendredi de Pâques, un tenant fanatique de l'apartheid a assassiné Chris Hani, secrétaire général du parti communiste sud-africain et second de l'ANC. La guerre civile a été évitée, en grande partie grâce à la sagesse politique de Mandela. Mais je me demande encore ce qui se serait passé si ç'avait été lui, la victime.

On dit parfois des livres de la série Wallander qu'ils anticipent des événements réels survenus dans le monde extérieur. Je crois que c'est vrai. Je pense fermement qu'il n'est pas impossible de lire l'avenir d'une manière qui se révèle être exacte. L'idée que la Suède et l'Europe en général allaient être confrontées à un type de criminalité nouveau après l'effondrement de l'Union soviétique et l'ouverture des pays de l'Est, cela m'apparaissait comme une évidence. Et c'est ce qui est arrivé.

Il en va de même pour le point de départ de *L'Homme qui souriait*. La pire forme de vol qu'on puisse commettre ou dont on puisse être victime ne concerne pas les biens matériels, mais une partie de l'être humain : le vol et le trafic d'organes. Quand j'ai commencé à écrire ce livre-là, je savais que le phénomène allait s'amplifier.

C'est aujourd'hui une industrie prospère, qui ne cesse de croître.

Pourquoi Wallander est-il devenu si populaire dans tant de pays aux cultures diverses ? Qu'est-ce qui a fait de lui l'ami de tant de lecteurs à travers le monde ? Je me suis bien sûr posé la question, et là pas plus qu'ailleurs il n'y a de réponse unique. Il y a cependant des explications partielles. Voici celle qui me convainc le plus, personnellement.

Dès le début de ma promenade printanière dans les champs autour de chez moi, je m'étais dit que j'allais créer un personnage qui me ressemblerait, et ressemblerait aussi au lecteur. Quelqu'un qui évoluerait sans cesse, mentalement et physiquement.

Moi-même, je n'arrête pas de changer ; alors ça allait être pareil pour lui.

Cette conviction a peu à peu conduit à ce que j'appelle, avec une pointe d'ironie, le « syndrome du diabète ». Après le troisième roman, j'ai demandé à Victoria, une amie médecin qui connaissait bien mes livres :

– Quelle maladie courante donnerais-tu à cet homme ?

Sans une ombre d'hésitation elle m'a répondu :

– Le diabète.

C'est ainsi que j'ai collé un diabète à Wallander dès le livre suivant. Et cela l'a rendu encore plus populaire.

Personne ne peut imaginer James Bond s'arrêtant en pleine rue, en pleine course-poursuite d'un méchant X ou Y, pour s'administrer une piqûre d'insuline. Mais Wallander oui. Wallander en est capable, et cela le rend semblable à n'importe quelle personne confrontée à cette maladie, ou à une autre. Il aurait pu avoir un rhumatisme, ou la goutte, ou des palpitations, ou une tension frôlant des sommets dangereux. En l'occurrence, il a un diabète. Une maladie qui le fait souffrir, même si elle reste sous contrôle.

Il existe naturellement d'autres raisons qui font que Kurt Wallander a touché tant de lecteurs. Mais son aptitude au changement, voilà ce qui me paraît essentiel. C'est très simple, au fond : je ne peux écrire que des livres que j'ai moi-même envie de lire. Un récit où je saurais déjà, au bout d'un chapitre, tout ce qu'il y a à savoir sur le personnage principal, où je comprendrais qu'il ne va rien lui arriver d'important au cours des cent ou mille prochaines pages, c'est un livre que je n'ai pas envie de lire.

On se fait des amis dans le monde de l'art. Sherlock Holmes reçoit encore du courrier à son adresse de Baker Street à Londres. Pour ma part, je reçois du courrier postal, du courrier électronique et des appels de nombreux pays. On m'arrête dans la rue, à Göteborg comme à Hambourg. Les questions sont bienveillantes, et j'essaie d'y répondre de mon mieux.

Beaucoup de femmes m'écrivent qu'elles voudraient guérir la solitude de Wallander. Je réponds rarement à ces lettres-là. Je ne crois d'ailleurs pas qu'elles attendent de réponse. Les gens sont raisonnables, malgré tout. Si grand qu'en soit notre désir, on ne peut pas vivre avec un personnage littéraire. On peut l'avoir pour ami – un ami imaginaire, qu'on sort quand on en a besoin. La mission de l'art est entre autres de nous procurer des compagnons. J'ai vu des personnages, sur des tableaux, que j'espère encore rencontrer un jour. Les livres et les films sont remplis d'individus si familiers pour nous que nous nous attendons à les voir surgir au coin d'une rue. Wallander est de ceux-là. Il se cache au coin de la rue. Mais il ne se montre jamais. Du moins pas à moi.

Un jour, on m'a adressé une demande qui m'a laissé sans voix. C'était en 1994. La Suède était confrontée à un choix : faire partie de l'Union européenne, ou non. Je marchais dans Vasagatan, à Stockholm, quand un homme âgé s'est arrêté à ma hauteur. Il était très aimable, très cultivé, et m'a demandé si j'étais celui qu'il croyait. J'ai répondu par l'affirmative. Il m'a alors posé la question suivante :

– Kurt Wallander va-t-il voter pour ou contre l'Union ?

C'était très sérieux, pas de doute là-dessus. Sa curiosité était sincère. Mais que répondre ? Je ne m'étais naturellement jamais posé cette question. J'ai essayé de rassembler mes idées à toute vitesse, de me souvenir de ce que je savais sur l'éventuelle opinion majoritaire de la police suédoise sur ce point. À la fin j'ai dit :

– Je crois qu'il va voter à l'inverse de moi.

Et je me suis éloigné sans laisser au monsieur le temps de répliquer.

Pour ma part, j'ai voté contre l'Union. Wallander a donc voté pour. C'est mon intime conviction.

On me demande très souvent : « Quels sont les livres que lit Wallander ? »

C'est une bonne question dans la mesure où il n'est pas facile d'y répondre. Je me suis imaginé parfois qu'il lisait les miens. Mais je n'en suis pas sûr.

En vérité, hélas, je ne crois pas que Wallander soit un grand lecteur. S'il lit, à mon avis, ce n'est pas de la poésie. Je me dis qu'il apprécie peut-être les livres d'histoire – les essais comme les romans historiques. Et je crois qu'il a lui aussi un faible pour Sherlock Holmes.

Certains penseront peut-être que ce qui suit n'est pas la vérité, mais je peux vous assurer que c'est réellement arrivé.

Il y a une quinzaine d'années, j'avais entrepris d'écrire un livre dont le personnage principal était, encore une fois, Wallander. J'en avais rédigé une centaine de pages, ce qui correspond au seuil à partir duquel je commence à croire que ça finira vraiment par faire un livre.

Mais ce ne fut pas le cas. J'ai persisté encore un peu, et puis j'ai tout arrêté. J'ai brûlé – au sens propre – les feuillets imprimés. Non seulement cela : j'ai aussi supprimé le fichier informatique. Et quand j'ai changé d'ordinateur, peu de temps après, j'ai détruit le disque dur. Je crois pouvoir affirmer qu'il n'existe aujourd'hui nulle part de trace susceptible d'être utilisée pour recréer ces pages.

Je n'ai pas fini ce livre dans la mesure où il m'était devenu trop pénible de l'écrire. Je n'avais pas la force de continuer. Le sujet en était les abus commis contre les enfants. Je me dis que j'aurais dû le finir, bien sûr. Les crimes de ce type sont parmi les pires qui existent dans le monde d'aujourd'hui. La Suède n'est pas une exception. Mais sur le moment, ça a été trop lourd pour moi. Je n'ai pas eu le courage d'aller jusqu'au bout.

Je comprends qu'on puisse douter de ce que j'affirme là. Après tout, j'ai décrit beaucoup de scènes épouvantables dans mes romans. Il y a des pages qu'il m'a été difficile d'écrire. Mais je sais que ce qui se passe dans la vie quotidienne est toujours pire que la fiction. Mon imagination ne peut pas égaler la réalité. En conséquence, je dois parfois écrire des scènes épouvantables afin de rester crédible.

Après *La Lionne blanche*, j'ai compris que Wallander était réellement devenu un instrument. Il m'est alors apparu que j'avais tout à craindre de ce personnage car désormais, je serais sans cesse confronté au danger de privilégier le soliste. Or mon mot d'ordre était toujours : *l'histoire d'abord*. Ensuite seulement je devais décider si Wallander était un instrument adéquat ou non pour raconter cette histoire.

Régulièrement je me disais : « Allez, on va faire autre chose. » Et j'écrivais d'autres livres, où il ne figurait pas, des fictions qui ne parlaient pas de crime, des pièces de théâtre… Plus tard je pouvais revenir à lui, le reprendre, puis de nouveau le lâcher, et ainsi de suite…

Constamment une voix intérieure m'avertissait : « Arrête pendant qu'il en est temps. » J'étais conscient du risque qu'un jour je prenne Wallander dans le creux de ma main et que je l'observe en me questionnant : « Voyons, qu'est-ce que je pourrais bien pouvoir lui concocter à présent ? »

Alors c'est lui qui serait passé au premier plan. Lui, et non l'histoire. À ce moment-là, il serait temps d'arrêter. Je crois qu'aujourd'hui je peux affirmer qu'il n'est jamais arrivé que Wallander prenne une place plus importante que l'histoire.

Wallander n'est jamais devenu une charge.

J'avais aussi une autre sonnette d'alarme. Contre le risque de me mettre à écrire de façon routinière et de tomber dans un autre piège : le manque de respect envers le lecteur comme envers moi-même. Le lecteur dépenserait son argent pour une histoire dont il découvrirait vite que l'auteur ne s'y était pas intéressé et que son écriture tournait à vide. Quant à moi, mon travail d'écrivain se serait transformé en une activité dénuée de passion.

C'est pourquoi j'ai arrêté tant que cela m'amusait encore. La décision d'écrire le dernier Wallander est venue progressivement. Il m'a fallu quelques années supplémentaires avant d'être mûr pour le point final.

D'ailleurs c'est ma femme Eva qui l'a mis. J'avais écrit le dernier mot. Je lui ai demandé d'enfoncer la touche « point ». Elle l'a fait. La série était terminée.

Et maintenant ? Maintenant que je travaille à des livres complètement différents, on me demande souvent si Wallander me manque. Je réponds la vérité :

– Ce n'est pas à moi qu'il doit manquer, mais au lecteur.

Je ne pense jamais à Wallander. Pour moi il existe uniquement dans ma tête. Les trois comédiens qui l'ont incarné à la télévision et au cinéma ont inventé d'une façon fantastique leur version entièrement personnelle du personnage. Cela a été une grande joie. Mais Wallander ne me manque pas. Et je n'ai pas renouvelé l'erreur de sir Arthur Conan Doyle, qui a tué Mr Holmes sans conviction. Le tout dernier Sherlock Holmes est l'un des moins réussis. Parce que Doyle lui-même avait sans doute compris au fond qu'il serait amené à le regretter.

Parfois on m'arrête dans la rue pour me demander si je ne devrais pas quand même en écrire un autre. Et sa fille Linda, alors ? Qui est devenue policière elle aussi… N'ai-je pas dit à un moment donné que c'était elle qui aurait à l'avenir le rôle principal ? N'ai-je pas écrit, il y a dix ans, *Avant le gel*, le premier livre dont elle était héroïne ?

Je ne veux pas écarter toute possibilité qu'il y ait un jour un ou deux ou même trois livres où Linda Wallander aurait la charge de tirer le récit. Mais je n'en suis pas sûr. À mon âge, les frontières rétrécissent. Le temps, qui manque toujours, manque encore plus. Je dois prendre des décisions de plus en plus fermes sur ce que je *ne veux pas* faire. C'est la seule façon de profiter du temps dont je dispose – et nul n'en connaît la durée – pour accomplir ce que je désire le plus.

Je ne regrette pas une ligne des milliers de pages que j'ai écrites sur Wallander. Il me semble que ces livres existent en vertu du fait qu'ils sont, par bien des côtés, un miroir des années 1990 et 2000 en Suède et en Europe. « Le roman de l'inquiétude suédoise », ainsi qu'il m'est parfois arrivé d'intituler la série des Wallander. Combien de temps les textes continuent à vivre par la suite, cela dépend de nombreux autres facteurs. Ce qu'il advient du monde, ce qu'il advient de la lecture, etc.

Le temps est vertigineux. Le premier Wallander, je l'ai écrit en partie sur une vieille machine à écrire de la marque Halda. Aujourd'hui je me souviens à peine de la sensation des touches d'une machine à écrire que l'on enfonce.

Le monde du livre se transforme de façon spectaculaire. Mais c'est la *distribution* du livre et le format qui changent, pas le livre en soi. Bien sûr, de plus en plus de gens emporteront leurs liseuses électroniques au lit. Le livre physique ne disparaîtra pas pour autant. Sans être le moins du monde réactionnaire, je crois que les lecteurs vont être de plus en plus nombreux à revenir au livre physique.

Le temps dira si j'ai raison ou pas.

Quoi qu'il en soit, mon récit sur Kurt Wallander est à présent terminé. Wallander a pris sa retraite et s'éloigne dans son pays crépusculaire en compagnie de son chien noir nommé Jussi.

Combien de temps ses pas continueront encore de résonner sur notre terre, je n'en sais rien. C'est sans doute à lui d'en décider.

Henning Mankell

Meurtriers sans visage
Christian Bourgois, 1994, 2001
« Points Policier », n° P1122
Point Deux, 2012

La Société secrète
Flammarion, 1998
et « Castor Poche », n° 656

Le Secret du feu
Flammarion, 1998
et « Castor Poche », n° 628

Le Guerrier solitaire
prix Mystère de la Critique
Seuil, 1999
et « Points Policier », n° P792

La Cinquième Femme
Seuil, 2000
« Points Policier », n° P877
Point Deux, 2011

Le chat qui aimait la pluie
Flammarion, 2000
et « Castor Poche », n° 518

Les Morts de la Saint-Jean
Seuil, 2001
et « Points Policier », n° P971

Tea-Bag
Seuil, 2007
et « Points », n° P1887

Profondeurs
Seuil, 2008
et « Points », n° P2068

Le Cerveau de Kennedy
Seuil, 2009
et « Points », n° P2301

Les Chaussures italiennes
Seuil, 2009
« Points », n° P2559
Point Deux, 2013

L'Homme inquiet
Seuil, 2010
et « Points Policier », n° P2741

Le Roman de Sofia
Flammarion, 2011

Le Chinois
Seuil, 2011
et « Points Policier », n° P2936

L'Œil du léopard
Seuil, 2012
et « Points », n° P3011

La Faille souterraine
Les premières enquêtes de Wallander
Seuil, 2012
et « Points Policier », n° P3161

Le Roman de Sofia
Vol. 2 : Les ombres grandissent au crépuscule
Seuil, 2012

Joel Gustafsson
Le garçon qui dormait sous la neige
Seuil Jeunesse, 2013

Un paradis trompeur
Seuil, 2013
et « Points », n° P3357

Mankell par Mankell
(de Kristen Jacobsen)
Seuil, 2013

À l'horizon scintille l'océan
Seuil Jeunesse, 2014

Daisy Sisters
Seuil, 2015

COMPOSITION : IGS-CP À L'ISLE-D'ESPAGNAC
IMPRESSION : CPI BRODARD ET TAUPIN À LA FLÈCHE
DÉPÔT LÉGAL : SEPTEMBRE 2015. N° 128591 (3011222)
IMPRIMÉ EN FRANCE